ENCICLOPEDIA DEL
PLANETA
TIERRA

ENCICLOPEDIA DEL PLANETA TIERRA

Anna Claybourne, Gillian Doherty y Rebecca Treays
Diseño: Laura Fearn y Melissa Alaverdy

Asesor: Dr. William Chambers
Director de diseño: Stephen Wright
Directoras de edición: Felicity Brooks y Jane Chisholm
Diseño de portada: Stephen Wright, Laura Fearn y Zöe Wray
Imágenes digitales: John Russell y Nicola Butler
Investigación fotográfica: Ruth King

Traducción: Antonio Navarro Gosálvez
Redacción en español: Cristina Fernández y Anna Sánchez

SCHOLASTIC INC.
New York Toronto London Auckland Sydney
Mexico City New Delhi Hong Kong Buenos Aires

Página 1: vista aérea del Gran Manantial Prismático, en el Parque
Nacional de Yellowstone, EE UU
Páginas 2-3: rascacielos de Chicago, EE UU
En esta página: imagen de un iceberg tratada por ordenador

ÍNDICE DE MATERIAS

Algunas de las palabras que encontrarás en este libro tienen un asterisco* al lado, que significa que puedes averiguar más sobre ellas en la página indicada al pie.

La Tierra y la Luna

EL PLANETA TIERRA

RRA Y EL ESPACIO

Tierra puede parecernos enorme
ero es diminuta en comparación
on el universo, donde hay miles
e millones de estrellas y planetas.
Su situación con respecto al
Sol es crucial, porque de él
obtenemos la luz y el
calor necesarios
para vivir.

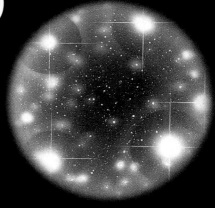

El universo lo es todo: no sólo los miles de millones de estrellas y planetas, sino también el enorme espacio vacío que hay entre ellos.

nus

Esta imagen muestra los nueve planetas que forman nuestro sistema solar dispuestos en orden, aunque no a escala real.

Tierra

Marte

iter

Nuestro sistema solar

Las estrellas son bolas enormes de gases incandescentes que desprenden luz y calor, aunque la distancia hace que parezcan pequeñas. La estrella más cercana a la Tierra es el Sol.

Un planeta es un cuerpo que gira alrededor de una estrella, realizando un movimiento de traslación. Al mismo tiempo efectúa un movimiento de rotación sobre su propio eje, que es una línea imaginaria que atraviesa el planeta. La Tierra es uno de los nueve planetas que giran alrededor del Sol y forman nuestro sistema solar.

Movimientos de la Tierra: de rotación alrededor de su propio eje y de traslación alrededor del Sol

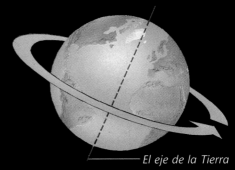

Urano

ón

El eje de la Tierra

a Luna

a mayoría de los
lanetas de nuestro
stema solar tienen
nas, que giran a su
rededor como un
laneta gira alrededor
e una estrella. La Tierra
ólo tiene una luna, pero
lgunos planetas, como
aturno, tienen varias. La
una tarda casi 28 días en
ompletar una vuelta a la
ierra.

a Luna gira sobre sí misma
l tiempo que va girando
lrededor de la Tierra, y tarda
exactamente lo mismo en dar
n giro sobre su eje que en
ar la vuelta a la Tierra. Por
so al mirarla siempre vemos
a misma cara.

*Esta fotografía de la
Luna se tomó desde el
satélite* Apolo XI.*

Un planeta con vida

Nuestro planeta es el tercero
más cercano al Sol. Según
nuestros conocimientos, es
el único planeta que reúne
las condiciones necesarias
para la vida, aunque se está
investigando si hay seres
vivos en otros planetas.

La distancia que separa
la Tierra del Sol hace que
reciba la cantidad ideal de
calor y luz. Su combinación
de gases permite respirar
a plantas, animales y seres
humanos, y su temperatura
hace que el agua exista en
estado líquido. Todo esto
es esencial para la vida en
nuestro planeta.

Las galaxias

Nuestro sistema solar forma
parte de una galaxia llamada
la Vía Láctea. Las galaxias son
grupos de millones de estrellas,
y son tan grandes que un rayo
de luz tardaría miles de años
en atravesar una de ellas. En el
universo existen 6.000 millones
de galaxias conocidas, pero
podría haber muchísimas más.

*La Vía Láctea,
nuestra galaxia*

SIN PERDER DETALLE

Hoy en día conocemos el mundo con bastante exactitud, ya que la tecnología moderna permite contemplar amplias zonas de la Tierra desde el espacio. Se han realizado mapas detallados de los lugares más inaccesibles, como el desierto, el fondo del océano y las cimas de las montañas.

Un mapa de las calles de Manhattan, Nueva York, EE UU

La Tierra en papel

Un mapa es una representación gráfica de un área determinada. Los mapas pueden reproducir desde una carretera hasta el relieve del suelo y limitarse a una zona pequeña o mostrar toda la superficie terrestre. El tamaño de un mapa en relación al área que representa se llama escala. Por ejemplo, un mapa a escala 1:100 representa un área cien veces mayor a su tamaño.

La Tierra como superficie plana

Como la Tierra es más o menos esférica, la mejor manera de representarla es un globo terráqueo. Para confeccionar mapas de la superficie terrestre en papel, los cartógrafos* alteran la silueta de algunas zonas. Los distintos tipos de mapas dan a los países formas y tamaños diferentes. Las representaciones de la superficie terrestre se llaman proyecciones*.

Los mapamundis más exactos parecen pieles de naranja.

Las líneas divisorias

En los mapas se utilizan unas líneas imaginarias que dividen el planeta, y nos ayudan a medir distancias y a encontrar lugares. Las líneas horizontales se llaman paralelos o líneas de latitud. Las líneas verticales se llaman meridianos o líneas de longitud. La distancia entre estas líneas se mide en grados (°).

Algunas de las líneas que dividen la Tierra tienen nombre. En este dibujo se ven las más importantes.

Círculo polar ártico

Trópico de Capricornio

Ecuador

Trópico de Cáncer

Satélites de observación

Los satélites artificiales son artefactos construidos por el hombre que giran alrededor de la Tierra, otros planetas o sus lunas. Observan la Tierra desde el espacio usando una técnica llamada teledetección, o detección a distancia. Algunos giran alrededor de la Tierra a una altura que oscila entre los 5 y los 1.500 km, y ofrecen vistas diferentes. Otros permanecen sólo en una zona, ya que avanzan a la misma velocidad que la Tierra para ofrecer una visión constante de un área en particular. Se llaman satélites geoestacionarios, y viajan a una altura aproximada de 36.000 km.

Teledetección

Los satélites utilizan muchos tipos de sensores para la teledetección. Un ejemplo es el radar, que proporciona imágenes de la Tierra incluso cuando está oscuro o nublado, ya que envía ondas de radio que se reflejan en los objetos. El tiempo que tardan estas ondas en volver indica a qué distancia están dichos objetos.

Para fotografiar la superficie terrestre se utilizan cámaras especiales. Las imágenes se convierten en impulsos eléctricos y se envían a la Tierra. Algunas cámaras usan un tipo de radiación llamada luz infrarroja. Los diferentes tipos de superficies reflejan la luz infrarroja de modo distinto, lo que permite obtener imágenes que resultan útiles para, por ejemplo, controlar cómo evoluciona la vegetación.

Meridiano de Greenwich

Este satélite ERS-1 obtiene información para ayudar a los científicos a estudiar los cambios climáticos.

¿Para qué sirven?

La información que proporcionan los satélites permite crear mapas muy precisos, predecir erupciones volcánicas o terremotos y registrar cambios producidos en el uso del suelo en todo el mundo. También pueden revelar cambios diarios, como si el suelo está húmedo o seco, e incluso hay satélites especiales para vigilar la evolución del tiempo, como el Meteosat.

Imagen de la Tierra, tomada por un satélite, que muestra los distintos tipos de superficies

LAS ESTACIONES

La Tierra tarda un año en dar una vuelta alrededor del Sol. Durante este viaje, las distintas partes del planeta reciben luz y calor con diferente intensidad, lo que da lugar a las cuatro estaciones (primavera, verano, otoño e invierno).

La inclinación de la Tierra

Como nuestro planeta viaja alrededor del Sol con una cierta inclinación, una de las mitades o hemisferios está siempre más cerca del astro rey que la otra. El hemisferio más cercano recibe más calor y luz que el más apartado. Por eso cuando en uno es verano, en el otro es invierno.

A medida que continúa la órbita, la mitad más cercana al Sol se va alejando gradualmente, hasta que llega el invierno a este hemisferio y el verano al otro. En junio, los rayos solares son más intensos sobre el trópico de Cáncer, y en diciembre sobre el trópico de Capricornio.

En el Ártico es verano en junio. Esta estación sólo dura entre seis y ocho semanas.

En el Ártico es invierno durante la mayor parte del año, porque está apartado del Sol.

El siguiente esquema muestra cómo cambian las estaciones a medida que la Tierra gira alrededor del Sol.

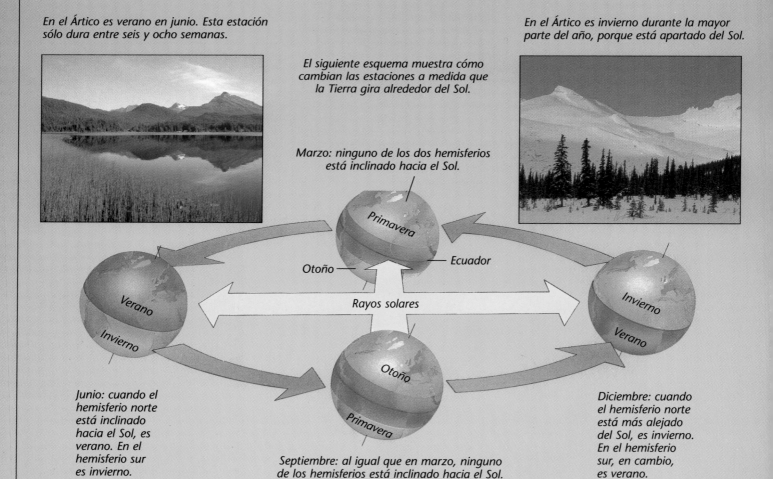

Marzo: ninguno de los dos hemisferios está inclinado hacia el Sol.

Primavera

Otoño — — Ecuador

Rayos solares

Verano

Invierno

Invierno

Verano

Otoño

Primavera

Junio: cuando el hemisferio norte está inclinado hacia el Sol, es verano. En el hemisferio sur es invierno.

Septiembre: al igual que en marzo, ninguno de los hemisferios está inclinado hacia el Sol.

Diciembre: cuando el hemisferio norte está más alejado del Sol, es invierno. En el hemisferio sur, en cambio, es verano.

La luz y el calor del Sol son esenciales para la vida en la Tierra.

Años bisiestos

Se denomina año solar al tiempo que tarda la Tierra en dar una vuelta alrededor del Sol. Equivale a 365,26 días pero, como resulta más cómodo medir el calendario anual en cifras exactas, lo redondeamos a 365. Para compensar esa diferencia, cada cuatro años tenemos que añadir un día más al calendario, que pasa a tener 366 días. Esos años se llaman bisiestos*. El día adicional es el 29 de febrero, pero, como aun así no se compensa con exactitud la diferencia, a veces no se añade.

Esta imagen muestra cómo los rayos solares se expanden cuando llegan a la superficie de la Tierra.

Las estaciones ecuatoriales

La zona más calurosa del planeta es la que recibe de lleno los rayos solares. Como la Tierra es redonda, en la mayoría de las zonas los rayos del Sol caen inclinados. Esto hace que alcancen un área más amplia, pero también que pierdan intensidad.

Sin embargo, cerca del ecuador, los rayos solares inciden casi en ángulo recto durante todo el año, de modo que siempre hace calor. Las temperaturas dependen también de la distancia que los rayos solares deben recorrer dentro de la atmósfera terrestre. Como esta distancia es menor cerca del ecuador que en los polos, la cantidad de energía que retiene la atmósfera también es más reducida.

Trópico de Cáncer

Ecuador

Los rayos solares están más concentrados cerca del ecuador.

Trópico de Capricornio

En los polos, los rayos solares se expanden y atraviesan mayor espesor de atmósfera.

Cerca de los polos, el Sol de mediodía está en el horizonte y la temperatura es fresca.

Cerca del ecuador, el Sol de mediodía está en lo alto y sus rayos son muy intensos.

*Años bisiestos, 148

EL DÍA Y LA NOCHE

Cuando es de día en Australia, en Sudamérica es de noche. Esto se debe a que la Tierra gira alrededor de su eje mientras da vueltas alrededor del Sol, y la cara que recibe su luz cambia constantemente.

Luz y oscuridad

La Tierra tarda 24 horas, o sea, un día, en dar una vuelta completa sobre sí misma. Este movimiento de rotación hace que la luz solar llegue a las distintas partes del mundo. En la zona de la Tierra encarada hacia el sol es de día, mientras que en la otra es de noche.

Este esquema muestra el paso del día a la noche en un lugar determinado (marcado con una bandera), a medida que la Tierra va rotando.

Órbita alrededor del Sol

Amanecer y atardecer

Por la mañana podemos ver cómo "sale" el Sol; se trata de una ilusión, porque en realidad el Sol no se mueve. Cuando la Tierra gira y la parte donde estamos se pone frente al Sol, el movimiento del planeta hace que parezca que está saliendo. A medida que la parte de la Tierra en la que estamos va alejándose del Sol, parece que éste se hunde hasta desaparecer en el horizonte. Esto se llama puesta de Sol.

Por la mañana, cuando la parte de la Tierra en la que estamos se pone frente al Sol, nos da la impresión de que está saliendo.

Por la tarde, cuando la parte de la Tierra en la que estamos se aleja del Sol, éste parece hundirse en el horizonte.

Horas de luz

En todo el mundo, excepto en el ecuador, los días son más largos en verano que en invierno. Esto se debe a que, cuando en un hemisferio es verano, éste recibe más luz solar que cuando es invierno.

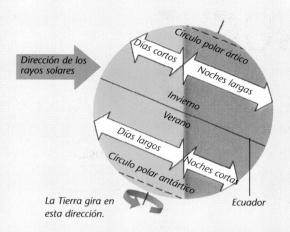

Dirección de los rayos solares

Círculo polar ártico
Días cortos
Noches largas
Invierno
Verano
Días largos
Noches cortas
Círculo polar antártico
Ecuador

La Tierra gira en esta dirección.

Este esquema muestra cómo la duración del día y la noche varía según la época del año y el lugar de la Tierra en que nos encontramos.

El Sol de medianoche

La zona situada al norte del círculo polar ártico se conoce en algunos países como la tierra del Sol de medianoche, porque durante en verano siempre es de día. Como el hemisferio norte está inclinado hacia el Sol en verano, el círculo polar ártico recibe la luz solar incluso de noche. Por el contrario, en invierno siempre es de noche, porque el hemisferio norte queda apartado del Sol. Lo mismo ocurre en el hemisferio sur, en la zona situada al sur del círculo polar antártico.

Una imagen del Sol en el círculo polar ártico, tomada en plena noche. En verano, el Sol no llega a esconderse.

Las fases de la Luna

La Luna no produce luz propia. Nos parece que brilla porque su superficie refleja la luz del Sol. Durante el día no se suele ver porque el Sol brilla más.

A medida que la Luna gira alrededor de la Tierra, se hacen visibles distintas partes de la cara iluminada por el Sol y parece cambiar de forma, como se ve en el esquema.

Dirección de la luz solar

La Luna

Estos dibujos muestran cómo vemos la Luna desde la Tierra según se encuentre en las distintas posiciones indicadas.

1. Luna nueva
2. Creciente
3. Cuarto creciente
4. Quinto octante
5. Luna llena
6. Tercer octante
7. Cuarto menguante
8. Menguante

EL INTERIOR DE LA TIERRA

L a Tierra no es una esfera maciza. Tiene
una superficie sólida, pero por dentro está
formada por distintas capas y algunas son
líquidas. En una sección del planeta,
se observan tres capas principales:
una capa exterior dura llamada
corteza, el manto y el núcleo.

La estructura del planeta

La imagen de la derecha muestra
las diferentes capas que forman
la Tierra, aunque no estén
representadas a escala.

La capa más fina es la
corteza, que tiene entre
5 y 70 km de espesor. Bajo
ella se encuentra el manto,
que está compuesto de
silicio y magnesio y tiene
unos 3.000 km de espesor.

En el manto, la parte superior
y la inferior están hechas de
roca, pero la capa intermedia
está a una temperatura tan alta
que esta roca se derrite y forma
una sustancia espesa llamada
magma. La capa sólida exterior
y la corteza están flotando sobre
esta capa líquida.

El núcleo probablemente está
formado de hierro y níquel. El
núcleo externo, que tiene unos
2.200 km de espesor, está derretido,
mientras que el núcleo interno es
sólido. El núcleo interno tiene un
espesor aproximado de 1.300 km y
una temperatura impresionante: unos
6.000 grados centígrados.

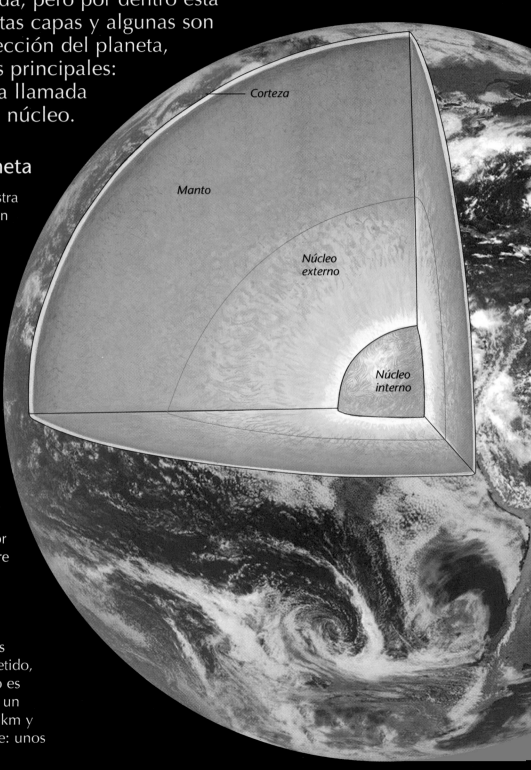

*En esta sección se observa
la estructura de la Tierra.*

Corteza

Manto

Núcleo
externo

Núcleo
interno

La corteza terrestre

Existen dos tipos de corteza: la gruesa corteza continental, que forma las zonas de tierra firme, y la corteza oceánica, mucho más fina, que forma el suelo de los océanos. La corteza continental está hecha de una roca ligera llamada granito, mientras que la corteza oceánica se compone de una roca más pesada llamada basalto.

La corteza terrestre se divide en corteza oceánica y continental.

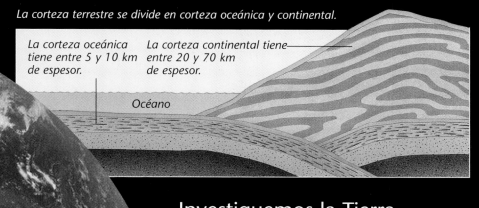

La corteza oceánica tiene entre 5 y 10 km de espesor.

La corteza continental tiene entre 20 y 70 km de espesor.

Océano

El planeta imantado

La causa del magnetismo de la Tierra podría ser el hierro derretido de su núcleo. Es como si la Tierra tuviera una enorme barra magnética en el centro. Los extremos de este imán se llaman polos magnéticos, pero no coinciden exactamente con los polos geográficos.

El siguiente esquema muestra el campo magnético de la Tierra y su radio de acción. Las flechas indican la dirección del campo magnético.

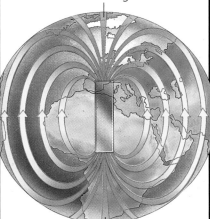

Polo norte magnético

Polo sur magnético

Esta fuerza magnética se puede comprobar con una brújula: su aguja está magnetizada y siempre señala el norte porque sufre la atracción del polo norte magnético.

La aguja magnética de una brújula siempre señala el norte.

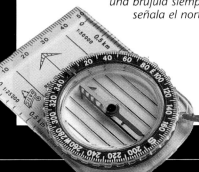

Investiguemos la Tierra

Recabar información sobre el interior de la Tierra es difícil. Los geólogos se dedican a estudiar las rocas, y para obtener datos excavan en la corteza y recogen muestras. El problema es que no pueden llegar a mucha profundidad.

Las erupciones volcánicas nos proporcionan datos sobre los materiales que hay en el interior de la Tierra. No obstante, para los geólogos, la mayor fuente de información sobre la estructura del planeta es el estudio de los terremotos o seísmos. Cuando hay un terremoto, unas vibraciones denominadas ondas sísmicas atraviesan la Tierra. A medida que van pasando por los distintos materiales, las ondas cambian de velocidad y dirección. Los datos se recogen en sismogramas, que permiten a los geólogos saber qué tipo de rocas se encuentra a las distintas profundidades.

Terremoto

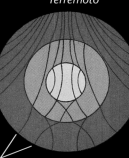

Ondas sísmicas

Este esquema muestra cómo cambian de dirección las ondas sísmicas cuando atraviesan la Tierra.

LA CORTEZA TERRESTRE

L a corteza terrestre está dividida en piezas enormes que encajan como si se tratase de un rompecabezas gigante, y se denominan placas tectónicas. Debido al movimiento de estas placas se han formado, con el paso del tiempo, los paisajes más espectaculares del planeta.

Placa Norteamericana

Placa de Cocos

Placa del Caribe

Bordes entre placas

Placa de Nazca

Manto líquido

Una superficie móvil

La corteza terrestre está dividida en siete placas grandes y varias placas más pequeñas. Cada una de ellas está formada por corteza continental, oceánica o ambas. Los límites de las distintas placas se llaman bordes.

Las placas están flotando sobre el manto líquido y están en constante movimiento. Se mueven con lentitud, a unos 5 cm por año, más o menos la misma velocidad a la que crecen las uñas. Estas placas pueden chocar, separarse o deslizarse lateralmente. Como todas encajan entre sí, el movimiento de una de ellas afecta a las demás.

El relieve del océano

Cuando las placas del fondo oceánico se separan, el magma sube a taponar el hueco. Los bordes en los que ocurre este fenómeno se llaman bordes constructivos. Cuando el magma emerge, se endurece y crea nueva corteza oceánica, lo que a veces origina islas o cadenas montañosas submarinas, llamadas dorsales oceánicas.

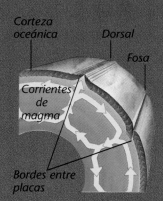

Corteza oceánica

Dorsal

Fosa

Corrientes de magma

Bordes entre placas

Las fosas submarinas se forman cuando dos placas tectónicas colisionan y una placa penetra a presión por debajo de otra, en lo que se llaman bordes destructivos. La fosa más profunda de todas es la fosa de las Marianas, en el océano Pacífico, cuya profundidad es mayor que la altura del monte Everest.

Este esquema muestra cómo se forman las dorsales y las fosas.

La deriva continental

A medida que las placas se mueven, la posición de los océanos y los continentes sobre la superficie terrestre va cambiando. Los mapas a tu derecha ilustran la teoría de los geólogos sobre el movimiento de los continentes.

Los geólogos opinan que existió un supercontinente llamado "Pangea".

Con la formación de rocas nuevas en los bordes entre placas, el fondo del océano Atlántico debió de ensancharse.

Hoy en día, África y Sudamérica se están separando a un ritmo de unos 3,5 cm anuales.

Océano Atlántico

África

Sudamérica

Placa
Sudamericana

Placa
Eurasiática

Fondo
oceánico

Placa
Africana

Una muestra de cómo encajan las placas tectónicas. Una de ellas está levantada, para que puedas ver el magma que hay en el interior de la Tierra.

La formación de las montañas

Cuando dos placas tectónicas colisionan, la corteza se pliega hacia arriba y forma cordilleras muy altas llamadas montañas de plegamiento, como los Alpes, los Andes y el Himalaya. La corteza terrestre tiene mayor espesor donde se forman este tipo de montañas.

Parte de la cordillera asiática del Himalaya, la más alta del mundo

Las fallas

El movimiento de las placas tectónicas genera unas presiones que hacen que las rocas más frágiles de los bordes se agrieten, formando lo que se llaman fallas. Cuando hay dos fallas paralelas, la corteza que hay en medio puede hundirse y formar una fosa tectónica o rift. Las partes elevadas que quedan a ambos lados se llaman montañas de bloques.

Montañas de bloques
Rift
Falla
Falla

Esta fotografía muestra una falla en el Gran Valle del Rift, en África.

ROCAS, MINERALES Y FÓSILES

La corteza terrestre es de roca. Hay tres tipos de rocas: las ígneas, las sedimentarias y las metamórficas. El paso del tiempo puede hacer que algunas rocas se transformen de un tipo a otro.

Las rocas ígneas

Su nombre proviene de *ignis*, que significa fuego en latín, porque se forman a partir de roca derretida incandescente del interior de la Tierra. Esta roca derretida, llamada magma, se solidifica cuando se enfría, y la manera de enfriarse determina el tipo de roca ígnea que se forma.

La toba volcánica es una roca ígnea formada por fragmentos muy compactos de roca y cristales.

La obsidiana es una roca ígnea brillante que se forma cuando el magma se enfría con rapidez.

Las rocas sedimentarias

Las rocas sedimentarias están formadas por diminutos fragmentos de roca y restos de plantas y animales descompuestos. Dichas partículas, llamadas sedimentos, son arrastradas por el viento, los ríos o los corrimientos de tierra hasta llegar al mar, donde se depositan. El agua y las siguientes capas de sedimento ejercen presión sobre las que están abajo, hasta acabar convirtiéndolas en roca sólida.

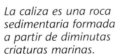

La caliza es una roca sedimentaria formada a partir de diminutas criaturas marinas.

La arenisca es una roca sedimentaria formada por granos de arena.

El Gran Cañón, en EE UU, es una garganta excavada por el río Colorado. Fíjate en las distintas capas de arenisca, llamadas estratos.

Las rocas metamórficas

Las rocas metamórficas son rocas que han sufrido cambios debido al calor o a la presión. Pueden formarse a partir de roca ígnea, sedimentaria o de otras rocas metamórficas. Su nombre, que proviene del griego, significa "transformación". Su textura, aspecto y composición química pueden verse alterados por el calor del magma o la presión provocada por los movimientos de las placas tectónicas.

El mármol es una roca metamórfica compuesta por caliza.

El esquisto de mica es una roca metamórfica estratificada.

Los minerales

Estas imágenes muestran minerales en bruto y pulidos.

Las rocas están hechas de unas sustancias llamadas minerales, que a su vez están compuestos de sustancias químicas simples llamadas elementos. Si miramos una roca con lupa, a veces se pueden distinguir los distintos minerales que contiene. Algunos minerales se tallan y se pulen para obtener piedras preciosas.

El ópalo puede ser de color blanco lechoso, verde, rojo, azul, negro o marrón.

La turquesa se encuentra en la roca formando vetas.

La cornalina es una piedra de color rojo oscuro.

LOS RECURSOS TERRESTRES

La Tierra proporciona multitud de tipos de rocas, minerales y otros materiales útiles. De ella extraemos piedra y arena para la fabricación de cristal y la construcción, más de 60 tipos de metal, cientos de sustancias químicas útiles y compuestos como la sal, el talco y el silicio.

Los metales

Los metales están entre los materiales más importantes que se obtienen de la Tierra. Pese a su dureza, pueden moldearse y formar planchas o alambre. Además de ser buenos conductores de la electricidad y el calor, poseen muchas propiedades: algunos, como el hierro, son muy duros; otros, como el calcio y el litio, se utilizan en la medicina; los metales preciosos, como la plata y el oro, se usan para hacer collares, pulseras y otros adornos.

La mayoría de los metales se encuentran en menas, rocas que los contienen en forma de compuesto químico. Los metales se extraen de las menas mezclándolos con otras sustancias químicas para provocar una reacción.

El hierro se extrae de su mena en un alto horno.

Aquí se depositan mena de hierro, coque y caliza.

El horno tiene más de 30 m de altura.

En los altos hornos, la mena de hierro, el coque y la caliza sufren una reacción y crean nuevas sustancias químicas, liberando el hierro.

El hierro derretido sale por aquí.

Se introduce aire caliente dentro del horno.

Por aquí salen los desperdicios, que se llaman escoria.

El hombre utiliza los metales preciosos desde hace siglos para fabricar adornos con gemas como los que ves aquí.

Más minerales

Además de metales y piedras, la Tierra proporciona otros muchos elementos y sustancias químicas que tienen miles de utilidades. Según su dureza (consulta la escala de dureza que hay en la página siguiente), se usarán para un fin u otro. Por ejemplo, el corindón se utiliza para hacer papel de lija y el silicio en circuitos electrónicos.

La escala de Mohs

La dureza de los minerales se mide en una escala del 1 al 10, llamada escala de Mohs. Los minerales blandos, como el talco, se convierten fácilmente en polvo. Al otro extremo están los minerales más duros, como el diamante, que se usa en herramientas para cortar.

Talco 1

Yeso 2

Calcita 3

Fluorita 4

Cada número en la escala de Mohs está ejemplificado con un mineral.

Apatito 5

Ortosa 6

Cuarzo 7

Topacio 8

Corindón 9

Diamante 10

Chips de silicio

El silicio se obtiene a partir de un mineral llamado cuarzo y es muy importante en la sociedad moderna, porque se utiliza para hacer los chips electrónicos que controlan relojes digitales, teléfonos móviles, ordenadores y otros aparatos.

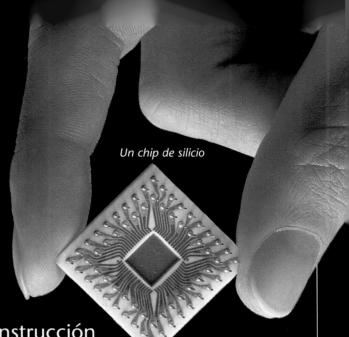

Un chip de silicio

Materiales de construcción

Las rocas y los minerales de la Tierra se utilizan para fabricar ladrillos, cemento, cristal y otros materiales de construcción. La piedra se extrae en las canteras, y suele ser tan dura y pesada que han de utilizarse explosivos para hacerla pedazos.

La arena está hecha de rocas, minerales y restos de animales marinos que se han desgastado por acción del agua hasta reducirse a fragmentos (por eso suele encontrarse junto al mar). El cemento y el cristal se fabrican con arena.

El Taj Mahal es un enorme panteón de mármol que hay en la India.

LA ENERGÍA DE LA TIERRA

as rocas, los minerales y los fósiles contienen una energía que podemos utilizar. El petróleo, el gas y el carbón, que se transforman en calor y electricidad, se extraen de la Tierra, al igual que otras fuentes de energía, como la energía nuclear.

Esta enorme estructura es la parte superior de una plataforma petrolífera sobre la superficie marina. Alberga el equipo necesario para procesar el petróleo y viviendas para los trabajadores.

NORTH CORMORANT

Los combustibles fósiles

El carbón, el petróleo y el gas natural se llaman combustibles fósiles porque, al igual que los fósiles*, se forman en el suelo con el paso del tiempo, a partir de plantas y animales muertos.

El carbón se forma a partir de árboles y plantas que murieron hace miles de años. Sobre ellos se depositaron sucesivas capas de arena y arcilla, comprimiéndolos hasta convertirlos en gruesos estratos subterráneos de carbón, llamados vetas o filones.

El petróleo se forma de la misma manera, pero a partir de los cuerpos de diminutas criaturas marinas. Se encuentra bajo el lecho marino o bajo tierra (porque algunas regiones que antes estaban bajo el agua ya no lo están). El gas natural se forma, si se dan determinadas condiciones, a partir de plantas y animales muertos.

La extracción

El carbón se extrae de minas, subterráneas o a cielo abierto, que son agujeros enormes excavados en el suelo. Para extraer petróleo y gas se utiliza una perforadora montada sobre una estructura llamada plataforma que perfora el suelo o el lecho marino. A veces el combustible brota de forma natural, pero se suele bombear agua dentro del orificio para extraer el petróleo o el gas.

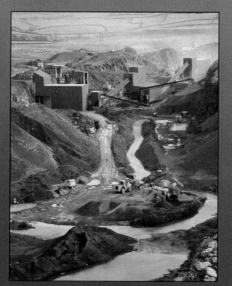

La extracción de carbón en una explotación minera a cielo abierto

*Fósiles, 21

Utilización

Cuando los combustibles fósiles se queman, liberan una energía que se utiliza para caldear edificios o para hacer funcionar motores. En las centrales eléctricas, el calor de los combustibles fósiles se transforma en electricidad.

El mundo depende de los combustibles fósiles, ya que proporcionan más de tres cuartas partes de la energía que utilizamos. Lo malo es que los usamos más rápido de lo que tardan en formarse, y se están acabando. Dentro de unos 200 años, la humanidad tendrá que recurrir a otras fuentes de energía.

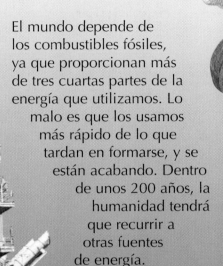

Además de proporcionar energía, el petróleo se usa para producir plástico, del que se fabrican miles de cosas, desde botellas hasta ropa de poliéster.

Como muchos otros metales, el uranio no existe en forma natural, sino que se encuentra unido a otros minerales en una mena*. Tras extraerse del suelo, el uranio se separa de su mena mediante reacciones químicas.

Radiaciones

Algunos minerales son radioactivos, lo que significa que sus átomos (las diminutas partículas que los forman) son inestables.

Los minerales inestables se descomponen y envían partículas de rayos llamadas radiaciones que, cuando se descomponen, liberan un tipo de energía llamada energía nuclear. El mineral radioactivo más utilizado para generar este tipo de energía es un metal llamado uranio.

Este esquema muestra cómo generan energía nuclear los átomos de uranio.

Una partícula diminuta llamada neutrón se dispara contra un núcleo de uranio.

Éste es el núcleo o centro de un átomo de uranio.

El núcleo se divide y desprende calor.

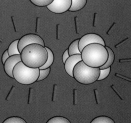

Otros neutrones salen del núcleo y separan otros átomos de uranio.

*Mena, 22

Lava saliendo del volcán de Kilauea, en Hawai

TERREMOTOS
Y VOLCANES

LA TIERRA EN ERUPCIÓN

Un volcán en erupción es una de las escenas más espectaculares de la naturaleza: la lava ardiente sale a borbotones por un agujero en la corteza terrestre y lo engulle todo a su paso. El cielo se llena de ceniza, polvo, gases venenosos y fragmentos de roca.

Los volcanes

Un volcán entra en erupción cuando la roca derretida incandescente del manto, llamada magma, sube hacia la superficie y acaba generando la presión suficiente para reventar la corteza terrestre. Cuando el magma sale a la superficie se denomina lava.

Crecimiento

Cuando un volcán entra en erupción, la lava y la ceniza que expulsa acaban formando una capa sólida de roca volcánica y, a medida que estas capas se acumulan, el volcán crece. La lava más densa recorre poca distancia antes de solidificarse y forma volcanes cónicos con mucha pendiente. La lava más líquida recorre una distancia mayor y forma volcanes de escudo, con unas pendientes más suaves.

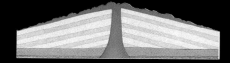

Corte transversal de un volcán de escudo

Corte transversal de un volcán cónico

Polvo, ceniza y gas —

Cráter: el agujero de la cima de un volcán

Bomba volcánica

Estratos de ceniza volcánica: partículas diminutas de lava

Chimenea: el conducto principal en el centro de un volcán

Chimenea lateral: un conducto que va de la chimenea principal a la superficie.

Cámara magmática: el lugar donde se acumula el magma bajo la corteza terrestre

Bombas volcánicas

Las bombas volcánicas son grumos de lava derretida que expulsan los volcanes al entrar en erupción. Las bombas se enfrían y endurecen mientras vuelan por el aire. Algunas son puntiagudas, pero otras tienen formas más redondeadas.

Algunas bombas volcánicas son del tamaño de un camión.

Cuando van por el aire, a algunas se les forma una "cola".

Si la lava es muy líquida, las bombas son pequeñas y con forma de gota.

¿Vivo o muerto?

Los volcanes que entran en erupción regularmente se llaman volcanes activos, y los que no volverán a hacerlo jamás se llaman volcanes extintos o apagados. A veces, la gente cree que un volcán está apagado cuando en realidad está sólo inactivo: en 1973, en una isla cercana a Islandia, un volcán que se creía extinto entró en erupción y destruyó 300 edificios. El gigante llevaba 5.000 años inactivo.

Peligro

La lava lo destruye todo a su paso, aunque, como suele fluir despacio, rara vez causa muertes. Son más peligrosos los gases calientes, las bombas y las cenizas, que pueden descender por las laderas del volcán a 200 km/h. En Italia, en el año 79 después de Cristo, entró en erupción el Vesubio y los habitantes de Pompeya fueron víctimas del gas venenoso y la ceniza.

Un molde de escayola tomado de la cavidad que dejó un cadáver en las cenizas de Pompeya

VARIEDADES VOLCÁNICAS

os volcanes suelen aparecer en lugares donde la corteza terrestre está debilitada y el magma puede atravesarla con mayor facilidad. Existen distintos tipos de erupciones, dependiendo de la densidad de la lava.

La erupción de los volcanes con lava líquida es más suave.

Dorsales oceánicas

Cuando dos placas tectónicas submarinas se separan, en sus bordes pueden formarse cordilleras enteras de volcanes que se llaman dorsales oceánicas. Al separarse las placas, el magma del manto sale a la superficie. La mayor parte de ese magma se solidifica y forma corteza nueva en los bordes de las placas, pero otra parte consigue subir hasta el lecho marino, donde forma un volcán.

Las dorsales oceánicas se forman cuando las placas se separan.

Magma que sube

Puntos calientes

Algunos volcanes no se encuentran en los bordes de las placas, sino en zonas de mucho calor en el manto de la Tierra, llamadas puntos calientes. Los científicos piensan que hay corrientes de magma aún más caliente de lo normal que atraviesan la corteza terrestre y salen a la superficie.

Los puntos calientes que hay en el manto pueden provocar la aparición de volcanes lejos de los bordes de las placas.

Punto caliente

Zonas de subducción

Los volcanes también aparecen en zonas de subducción, que son lugares donde dos placas chocan de frente y una de ellas fuerza a la otra a descender hacia el manto. A medida que la placa baja, se derrite y acaba por convertirse en magma, que asciende a la superficie a través de grietas, dando origen a un nuevo volcán

En las zonas de subducción, una placa fuerza a otra a descender al subsuelo, donde se derrite.

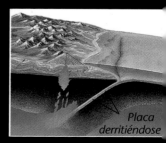

Placa derritiéndose

Tipos
de lava

No todas las erupciones
volcánicas son iguales.
Algunos volcanes expulsan
nubes de ceniza que se
elevan a muchos metros
de altura, y otros son una
tranquila fuente de lava.
El tipo de erupción depende
de la densidad de la lava.
Cuanto más densa es, mayor
es la cantidad de gases atrapados
en ella. Son precisamente los gases
los causantes de que se acumule la
presión y la erupción del volcán sea
explosiva.

Cuando la lava es más líquida, la
erupción no es tan violenta porque
los gases se liberan con mayor
facilidad y escapan por el cráter del
volcán. Los nombres de muchos de
los distintos tipos de erupciones se
deben a las erupciones de volcanes
determinados.

*Las erupciones del tipo
hawaiano suelen ser
tranquilas, porque la
lava es líquida y
los gases escapan
con facilidad.*

*Las erupciones del tipo Plinio son las más
explosivas. Los gases atrapados provocan
explosiones tremendas al escapar, y
expulsan enormes nubes de
cenizas volcánicas.*

AGUA CALIENTE NATURAL

En las áreas volcánicas, además de las erupciones, podemos ver otros fenómenos naturales muy espectaculares. La actividad volcánica puede crear manantiales de agua caliente rica en minerales*, chorros de agua caliente y vapor o chimeneas submarinas que expulsan agua negra.

Roca caliente

En zonas volcánicas, el magma que sube a la corteza terrestre calienta las rocas que tiene alrededor, que pueden contener agua. Estas reservas subterráneas provienen del agua de lluvia o de mar que se ha filtrado a través de grietas en la corteza terrestre. Cuando la roca se calienta, la temperatura del agua que contiene aumenta de forma natural.

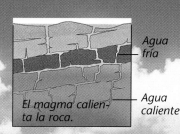

Agua fría

El magma calienta la roca.

Agua caliente

La roca caliente hace aumentar la temperatura del agua subterránea.

Manantiales termales

A veces, el agua que hay en el subsuelo se calienta debido a las altas temperaturas y sale a la superficie formando manantiales de aguas termales. El agua suele contener minerales disueltos, que se acumulan alrededor del manantial.

Éste es el llamado Morning Glory, uno de los muchos manantiales de aguas termales que hay en el Parque Nacional de Yellowstone, en EE UU, con más de 10.000 manantiales y géiseres originados por la roca volcánica caliente.

Solfataras marinas

A veces, alrededor de las cadenas montañosas submarinas, emergen manantiales de agua caliente a través de agujeros en el lecho marino llamados chimeneas hidrotermales.

Algunas de estas chimeneas, llamadas solfataras marinas, expulsan nubes de agua negra, turbia y caliente. El agua está turbia por los minerales que ha disuelto de la roca caliente. La chimenea se va formando a medida que los minerales se depositan a su alrededor. Cerca de ellas viven algunas criaturas muy peculiares, como los gusanos tubícolas y los cangrejos araña ciegos. Se alimentan de bacterias, que a su vez viven de los minerales que expulsan las chimeneas.

Las solfataras marinas aparecen en el fondo oceánico y expulsan nubes de agua negra y caliente. Algunas llegan a alcanzar los 6 m de altura.

Los géiseres

Un géiser es un chorro de agua caliente y vapor que surge de un orificio en el suelo. Se forma cuando el agua subterránea caliente queda atrapada en grietas bajo la superficie de la Tierra. Al estar estancada, esta agua continúa calentándose hasta que hierve y forma vapor. La presión se va acumulando hasta que el líquido se ve forzado a salir en forma de chorros de agua caliente y vapor.

El Old Faithful (el "viejo fiel") es un géiser del Parque Nacional de Yellowstone, en EE UU. Más o menos cada hora expulsa un chorro de agua caliente como éste.

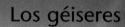

LAS ISLAS VOLCÁNICAS

S i un volcán situado en el lecho marino entra en erupción muchas veces, puede alcanzar la superficie marina y formar una isla. A medida que las cenizas y la lava de las distintas erupciones se acumulan alrededor del cráter, la isla va creciendo.

Islas en puntos calientes

A veces, los volcanes submarinos que hay en puntos calientes* se convierten en islas volcánicas. A lo largo de miles de años, un punto caliente puede formar archipiélagos de islas. Los científicos piensan que estos puntos permanecen fijos porque están en el manto, mientras que la corteza terrestre se mueve. Con el tiempo, las islas volcánicas se van alejando del punto caliente que las creó.

Cuando una isla se aleja de un punto caliente, el volcán se extingue porque pierde su fuente de magma. Sin embargo, se forman nuevos volcanes en la parte de la placa que queda sobre el punto caliente, hasta que se forma un archipiélago.

Kauai
Oahu
Molokai
Maui
Hawai
Punto caliente

El archipiélago de las islas Hawai está formado por islas volcánicas de punto caliente.

*Puntos calientes, 30

Arcos insulares

Sobre las zonas de subducción*, en las que el magma asciende a través de grietas en el lecho marino, se forman a veces archipiélagos de islas volcánicas llamados arcos insulares. Los científicos no saben por qué forman un arco, pero podría deberse al movimiento de las placas tectónicas o a la forma esférica de la Tierra.

Ha nacido una isla

En la foto vemos cómo sale vapor y ceniza de Surtsey, una isla volcánica cerca de Islandia.

En 1963, los pescadores de la costa de Islandia vieron una humareda en el mar y pensaron que se trataba de un barco incendiado. En realidad no era humo, sino ceniza y vapor de un volcán situado justo debajo de la superficie del mar.

Durante los cuatro años siguientes, el volcán entró varias veces en erupción. A medida que iba saliendo a la superficie, las erupciones se hacían más explosivas, al descender la presión del agua. La lava y la ceniza se fueron acumulando hasta formar una isla volcánica, que se llamó Surtsey en honor a Surt, el gigante de fuego de la mitología nórdica.

Playas negras

Algunas islas volcánicas tienen playas de arena negra porque se formaron a partir de lava basáltica, que es de ese color. Cuando la lava llega al mar, se enfría instantáneamente. Ese cambio de temperatura hace que se rompa en fragmentos minúsculos que forman los granos de arena.

Una playa de arena negra en Tahití

*Zonas de subducción, 30

VIVIR EN PELIGRO

A pesar del riesgo que suponen los volcanes activos, hay mucha gente que vive junto a ellos. La ciencia ha hallado la manera de predecir cuándo va a haber una erupción, y a veces se puede avisar a tiempo del peligro.

Vigilancia volcánica

Antes de que un volcán entre en erupción, puede haber cambios en el suelo. Estos cambios pueden medirse con instrumentos como el clinómetro y el geodímetro. Es posible que el suelo tiemble (lo que se conoce como "temblores volcánicos"), algo que los sismómetros pueden detectar.

Esos mismos instrumentos se usaron en 1980 para vigilar el volcán del monte Santa Helena, en Washington, EE UU. Se registró un abultamiento que crecía a razón de 1,5 metros al día, y el área que rodeaba al volcán fue evacuada poco antes de la erupción.

Los alrededores del monte Santa Helena tras la erupción. A pesar de que se evacuó la zona, murieron 61 personas.

Cuando el monte Santa Helena comenzó a rugir, había un grupo de expertos sobrevolándolo en un avión. Esta fotografía fue tomada mientras el piloto viraba para evitar la explosión.

En un costado del monte Santa Helena se pudo ver un abultamiento de 90 m de altura que después reventó con una tremenda explosión.

El uso de los volcanes

Aunque los volcanes suelen ser una fuerza destructiva, también pueden tener usos productivos.

La ceniza de los volcanes contiene minerales que hacen que el suelo sea muy fértil, es decir, muy bueno para la agricultura. Ésta es una de las razones por las que la gente opta por vivir en un lugar tan peligroso.

Una central geotérmica aprovecha la energía calorífica de la roca volcánica para generar electricidad. El agua del subsuelo se calienta al filtrarse por las grietas naturales que hay en las rocas volcánicas o por grietas artificiales excavadas para obtener el mismo efecto. Entonces se hace subir el agua caliente a la superficie, donde se transforma en vapor y se usa para activar unas máquinas, llamadas turbinas, que generan electricidad.

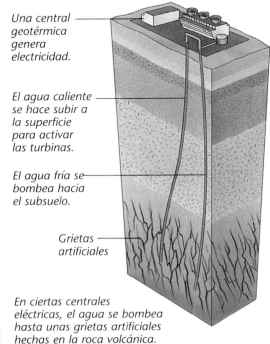

Una central geotérmica genera electricidad.

El agua caliente se hace subir a la superficie para activar las turbinas.

El agua fría se bombea hacia el subsuelo.

Grietas artificiales

En ciertas centrales eléctricas, el agua se bombea hasta unas grietas artificiales hechas en la roca volcánica.

LOS TERREMOTOS

Un terremoto o seísmo es una descarga repentina de energía que hace temblar la tierra. Los efectos de un seísmo fuerte pueden ser devastadores: el suelo se agita violentamente y los edificios se balancean, o incluso pueden derrumbarse. Sin embargo, sólo se dan en algunas partes del mundo, y la mayoría son imperceptibles.

Un bloque de apartamentos en San Francisco, EE UU, dañado por un terremoto

Desastre en la ciudad

Los seísmos causan más daños cuando ocurren en grandes ciudades. Un terremoto fuerte puede hacer que los edificios y los puentes se derrumben, y que en el suelo aparezcan grietas enormes llamadas fisuras. Además, hay riesgo de incendios e inundaciones, ya que pueden romperse las tuberías subterráneas del gas o del agua.

La fuerza de los terremotos

Cada año ocurren más de 800.000 terremotos, pero sólo unos 1.000 causan daños significativos. Los científicos que estudian los seísmos, su fuerza y sus efectos se llaman sismólogos.

Existen dos escalas para medir terremotos: la escala de Richter y la de Mercalli. La escala de Richter mide la potencia de las vibraciones que atraviesan la tierra cuando hay un terremoto llamadas ondas sísmicas. Estas vibraciones se registran usando un aparato llamado sismómetro, que reproduce una gráfica de las vibraciones llamada sismograma.

La magnitud de los terremotos va del 1 al 10 de acuerdo con la escala de Richter. Cada punto que se asciende en dicha escala indica que se ha liberado 30 veces más energía que en el nivel anterior.

Este aparato es un sismómetro. Se utiliza para medir las vibraciones del suelo.

Una muestra de los destrozos causados por un terremoto en Maharashtra, la India, en 1993

La escala de Mercalli

La escala de Mercalli clasifica los terremotos del I al XII, según sus efectos, teniendo en cuenta los daños que causa en distintos lugares. Se basa en las declaraciones de testigos.

Estos dibujos ilustran la clasificación de los terremotos según la escala de Mercalli. Por debajo de V, las vibraciones son muy suaves.

IV
La gente percibe cómo tiemblan los platos y las ventanas de sus casas.

V
Los objetos pequeños se mueven y los líquidos pueden salirse de sus recipientes.

VI
Se caen las cosas de las estanterías. Las vibraciones se perciben dentro y fuera de las casas.

VII
Las paredes se agrietan. Caen tejas y ladrillos de los edificios.

VIII
Los edificios más débiles se derrumban.

IX+
Otros edificios más grandes también se derrumban.

¿CÓMO OCURREN?

Los terremotos ocurren sobre todo cerca de los bordes entre placas tectónicas*. El movimiento de estas placas hace que se acumule presión en ciertas zonas de roca. Cuando esta presión se libera de forma repentina, la roca vibra y provoca un terremoto.

Las fallas

Los terremotos ocurren a lo largo de unas grietas que hay en la corteza terrestre, llamadas fallas, que pueden ser fracturas diminutas o hendiduras larguísimas que abarcan grandes distancias. Las fallas se producen cuando las placas tectónicas se mueven, comprimiendo y estirando la roca hasta que se rompe. Los bordes entre dos placas que se deslizan en el mismo sentido o en sentido contrario se llaman márgenes pasivos.

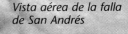

Vista aérea de la falla de San Andrés

La placa Norteamericana se mueve 1 cm al año.

San Francisco

Falla de San Andrés

Los Ángeles

La placa del Pacífico se mueve 6 cm al año.

San Diego

México

A lo largo de la falla de San Andrés, en la costa oeste de EE UU, suele haber terremotos porque las placas se mueven en la misma dirección pero a distinta velocidad.

Este esquema muestra unas placas moviéndose en sentidos opuestos.

Energía liberada

Cuando los bordes de una falla se quedan encajados, la fricción hace que se acumule energía. La tensión llega a hacerse tan grande que uno de los lados acaba cediendo, lo que produce un movimiento brusco. La energía acumulada se libera, haciendo que la roca vibre y se produzca un terremoto.

Una falla que atraviesa la roca

La energía se acumula en el punto en el que las rocas quedan encajadas.

*Bordes entre placas tectónicas, 18

El foco

El punto en el que la roca cede se llama foco o hipocentro, y es donde tiene su origen el terremoto. Suele estar entre 5 y 15 km bajo tierra, y el punto de la superficie que está justo encima de él se llama epicentro. Las ondas sísmicas parten del foco en todas direcciones. La fuerza de un seísmo depende de la cantidad de energía que se libera; sin embargo, sus ondas, incluso si se trata de un terremoto de pequeña magnitud, pueden notarse al otro lado del mundo.

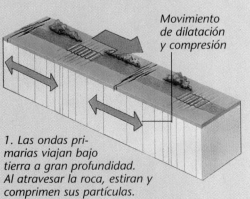

Epicentro

Foco o hipocentro

Las vibraciones parten del foco.

Cuando la roca cede se libera una gran cantidad de energía acumulada.

Las ondas sísmicas

Las ondas sísmicas son más fuertes cuanto más cerca del foco se encuentran, y se debilitan a medida que se alejan de él. Existen distintos tipos de ondas sísmicas que hacen que la roca que atraviesan vibre de forma diferente.

La manera de desplazarse de los distintos tipos de ondas sísmicas afectan a las rocas de forma diferente.

 Dirección de las ondas

 Vibraciones de las partículas de las rocas cuando las ondas las atraviesan

Movimiento de dilatación y compresión

1. Las ondas primarias viajan bajo tierra a gran profundidad. Al atravesar la roca, estiran y comprimen sus partículas.

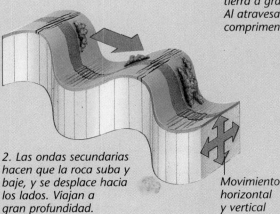

2. Las ondas secundarias hacen que la roca suba y baje, y se desplace hacia los lados. Viajan a gran profundidad.

Movimiento horizontal y vertical

Movimiento circular

3. Las ondas largas viajan por la superficie y son la causa de la mayor parte de los daños ocasionados por terremotos.

Réplicas

A veces, durante un terremoto, no se libera toda la energía acumulada, lo que puede provocar que haya temblores menores, llamados réplicas, cuando con posterioridad se libera el resto. También pueden desprenderse cantidades menores de energía antes de haber un seísmo, lo que ocasiona temblores previos a éste, que se denominan precursores.

SEGURIDAD ANTE TODO

El seguimiento de la evolución de las fallas permite en ocasiones predecir cuándo y dónde va a ocurrir un terremoto, y así tomar medidas para limitar los daños que puedan ocasionarse, o incluso evitar que tenga lugar.

Lagunas sísmicas

A menudo, la tensión acumulada en los bordes de las fallas se libera gradualmente con un movimiento lento llamado desplazamiento. Las secciones donde se da este movimiento son menos propensas a los seísmos, porque la presión se libera gradualmente. Los seísmos son más comunes en las secciones que no se han movido desde hace años, llamadas lagunas sísmicas.

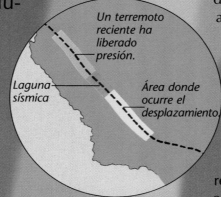

Un terremoto reciente ha liberado presión.

Laguna sísmica

Área donde ocurre el desplazamiento.

Al identificar las lagunas sísmicas, los científicos pueden vigilar de cerca las áreas más propensas a los terremotos.

Ojo con las fallas

Si la superficie terrestre comienza súbitamente a inclinarse, puede ser indicio de un terremoto. Con unos aparatos llamados clinómetros pueden medirse cambios minúsculos en el nivel del suelo.

El movimiento horizontal en las fallas se puede medir con rayos láser. Se emite un rayo láser que rebota en un reflector, y un ordenador registra el tiempo que tarda en recorrer la distancia. Si ese tiempo cambia, significa que ha habido un movimiento.

Los científicos utilizan rayos láser para detectar movimientos en el suelo. Pueden detectar cambios de hasta 1 mm.

Evitar los terremotos

Los terremotos pueden evitarse liberando las placas encajadas antes de que se acumule demasiada tensión, lo cual se puede lograr provocando una pequeña explosión. Otra técnica es perforar el suelo e inyectar agua en las rocas para reducir la fricción y hacer que el movimiento de la falla sea más suave.

Siempre alerta

Si ocurre un terremoto y estás en casa, lo mejor es meterse debajo de una mesa bien sólida, cubrirse los ojos para protegerlos de cristales y agarrarse fuerte a la pata de la mesa. Si estás en la calle, es mejor estar en un espacio abierto, lejos de edificios, árboles y cables de la luz.

Instinto animal

A veces, los animales se comportan de forma extraña poco antes de un terremoto. Por ejemplo, justo antes del terremoto de Haicheng, China, en 1975, las serpientes que estaban en hibernación salieron repentinamente. Aparentemente, la agudeza de los sentidos de los animales les permite detectar pequeñas vibraciones, cambios en las corrientes eléctricas de las rocas o la filtración de gases. En San Francisco, EE UU, se vigila a los animales del zoo por si su comportamiento avisa de un terremoto.

Edificios seguros

En áreas donde existe un alto riesgo de terremotos se están diseñando edificios especiales para reducir al máximo los daños. Los cimientos de algunos edificios se diseñan para absorber las vibraciones y reducir los efectos de la sacudida. También se utilizan armazones de acero como refuerzo, para que el edificio se tambalee pero no se derrumbe ante un temblor de tierra.

El rascacielos Transamerica de San Francisco, EE UU, está diseñado para soportar temblores de tierra.

Si los animales se agitan de forma inusual puede ser indicio de que va a producirse un seísmo.

OLAS GIGANTES

U n terremoto o una erupción volcánica bajo el mar o cerca de la costa puede causar un maremoto u ola gigante llamada tsunami, que viaja en todas direcciones. Justo antes de romper contra la costa, disminuye la velocidad repentinamente y puede alcanzar una altura enorme.

En 1998, un tsunami alcanzó la costa de Papúa Nueva Guinea, causando enormes daños. Esta imagen, sacada de un vídeo casero, muestra un techo de acero enrollado alrededor de un árbol debido a la fuerza de la ola.

El tsunami

Un tsunami se origina cuando un seísmo o un volcán provoca un movimiento del lecho marino o en un lugar cercano al mar. Esta sacudida afecta al agua y forma olas. Mar adentro, la ola de un maremoto tiene una altura similar a las olas normales, aunque la distancia entre la cresta de un tsunami y el siguiente puede superar los 100 km. Lo peligroso es su velocidad, porque aunque parezca increíble puede cruzar el mar a 800 km/h. Al llegar a tierra, la fricción del lecho marino actúa como freno y disminuye la velocidad, haciendo que aumente la altura hasta formar un muro de agua que se eleva sobre la costa y cae, aplastándolo todo y causando inundaciones.

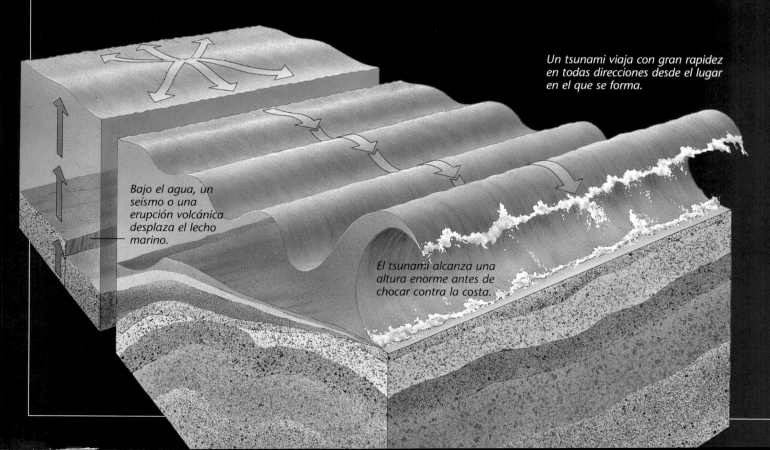

Un tsunami viaja con gran rapidez en todas direcciones desde el lugar en el que se forma.

Bajo el agua, un seísmo o una erupción volcánica desplaza el lecho marino.

El tsunami alcanza una altura enorme antes de chocar contra la costa.

Sistemas de emergencia

Los maremotos suelen ocurrir en el Océano Pacífico. Por esta razón, existen estaciones de observación en toda la costa para controlar los terremotos. Si uno es lo bastante fuerte para generar un tsunami, se envían mensajes de aviso a las ciudades costeras, para que se preparen. Las estaciones mareográficas, situadas en la costa, controlan la llegada de la ola.

Los observatorios y estaciones mareográficas que hay en el Pacífico controlan los maremotos.

OCÉANO PACÍFICO

América del Norte

Observatorio de tsunamis del Pacífico Central

América del Sur

Australia

Estaciones mareográficas
Observatorios

Un tsunami es como un enorme muro de agua que puede alcanzar una altura de 50 m.

45

Otoño en el Parque Nacional de Cache, Idaho, EE UU

EL CLIMA

LA ATMÓSFERA TERRESTRE

La atmósfera es un manto de gases que rodea la Tierra y contiene el aire que necesitamos para respirar. Repercute sobre el clima y el tiempo, además de protegernos de las temperaturas extremas y de los rayos nocivos del Sol.

La estructura de la atmósfera

Los gases que rodean el planeta están sostenidos por la gravedad, una fuerza que atrae las cosas hacia la Tierra. La atmósfera se divide en capas, según la temperatura de esos gases. En el siguiente esquema puedes ver las distintas capas.

Este esquema muestra algunas de las capas de la atmósfera terrestre, aunque no aparece la capa más alta, la exosfera, que está a unos 400 km de la Tierra.

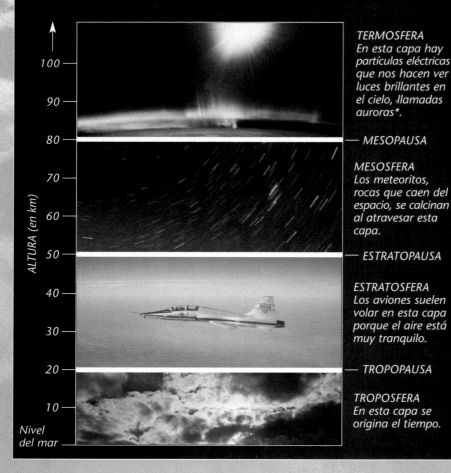

ALTURA (en km)

100
90
80
70
60
50
40
30
20
10
Nivel del mar

TERMOSFERA
En esta capa hay partículas eléctricas que nos hacen ver luces brillantes en el cielo, llamadas auroras*.

— MESOPAUSA

MESOSFERA
Los meteoritos, rocas que caen del espacio, se calcinan al atravesar esta capa.

— ESTRATOPAUSA

ESTRATOSFERA
Los aviones suelen volar en esta capa porque el aire está muy tranquilo.

— TROPOPAUSA

TROPOSFERA
En esta capa se origina el tiempo.

La troposfera

La troposfera es la capa de la atmósfera más cercana a la superficie terrestre. Además de la mezcla de gases, esta capa contiene nubes, polvo y contaminación, y se extiende entre 10 y 20 km del suelo. La temperatura es más alta cerca de la superficie terrestre porque ésta absorbe el calor del Sol y calienta el aire. A mayor altura, el aire es menos denso y no almacena tanto calor, por tanto la temperatura es más baja.

La troposfera es la capa donde se origina el tiempo. Su nombre procede de la palabra griega *tropos*, que significa giro, porque el aire de esta capa está en constante circulación*.

La estratosfera

La altura máxima de la estratosfera es de unos 50 km. Los aviones vuelan en esta capa, justo por encima de las nubes.

La estratosfera contiene una concentración de un gas llamado ozono, que aumenta de temperatura porque absorbe los rayos ultravioleta del Sol. La capa de ozono es muy importante porque actúa como escudo para proteger la Tierra de los rayos ultravioleta, que pueden provocar cáncer de piel y dañar los ojos.

La mesosfera

La mesosfera alcanza una altura aproximada de 80 km, y allí las temperaturas son las más frías de la atmósfera, porque no contiene ozono, polvo ni nubes que puedan absorber la energía del Sol. La temperatura es más alta a menor altura, porque está en contacto con la estratosfera.

Cuando vuelas en avión por la estratosfera, a menudo se pueden ver las nubes por debajo, en la troposfera.

La termosfera

En esta capa las temperaturas son altísimas y pueden alcanzar los 1.500 °C. Esto se debe a la alta concentración de un gas llamado oxígeno atómico, que absorbe los rayos ultravioleta del mismo modo que el ozono.

La capa de ozono

La capa de ozono que hay en la estratosfera está siendo dañada por unos productos químicos llamados clorofluorocarbonos (CFC), que se usan en algunos aerosoles y cámaras frigoríficas. En algunas épocas del año, la capa de ozono muestra un agujero justo encima de la Antártida, y en otras zonas es demasiado fina, lo que significa que una mayor cantidad de rayos ultravioleta llegan a la superficie de la Tierra.

Las zonas que aparecen en color rosa intenso corresponden al agujero en la capa de ozono que hay sobre la Antártida.

LAS CORRIENTES

Cuando el sol calienta la Tierra, hace que el aire y el agua se muevan formando corrientes. Las partículas de aire y agua se dilatan y ascienden a medida que se calientan, para después enfriarse y descender. De ese modo se generan pautas de circulación que son vitales para determinar el clima.

Las formas circulares de la imagen por satélite reproducidas como fondo en estas dos páginas son remolinos de agua que se han separado de la corriente principal.

El aire en movimiento

El aire que nos rodea se mueve constantemente en todas direcciones y, al hacerlo, ejerce una fuerza denominada presión atmosférica.

El movimiento del aire depende de la temperatura. El Sol calienta la tierra y los océanos, que a su vez calientan el aire que se encuentra sobre ellos, en la troposfera*. El aire, al calentarse, asciende y se desplaza, dejando un área de bajas presiones. Cuando se enfría, desciende hasta la superficie terrestre en una zona distinta, generando altas presiones.

Como el Sol no calienta por igual todo el planeta, aparecen diferencias de presión. Cuando se dan estas diferencias, el aire pasa de las zonas de altas presiones a las de bajas presiones a fin de igualar la presión, dando origen a los vientos. El movimiento de rotación de la tierra hace que el viento se desvíe formando espirales. Este tipo de desviación se conoce como efecto Coriolis*.

Vientos globales

El aire está en constante circulación entre los trópicos y los polos, generando los llamados vientos globales. El aire cálido procedente de los trópicos* empuja al aire frío de los polos, y éste a su vez sopla hacia las regiones tropicales. Los alisios o los vientos del oeste son ejemplos de este tipo de vientos.

Los vientos globales se forman porque las zonas cercanas al ecuador reciben más calor del Sol que otras. Cuando el aire se calienta, se dilata y asciende. Al enfriarse, desciende a unos 30º al norte y al sur del ecuador, lo que hace aumentar la presión en la superficie terrestre. Esto hace que el aire se mueva tanto en dirección al ecuador como a los polos.

Una imagen por satélite que muestra los vientos del Océano Pacífico. Las diminutas flechas que ves indican la dirección de los vientos.

*Efecto Coriolis, 84; trópicos, 146; troposfera, 48

Las corrientes marinas

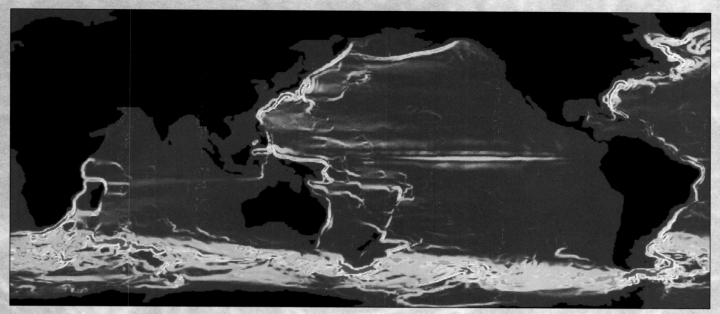

Esta imagen muestra algunas corrientes marinas del mundo. Las zonas rojas son corrientes rápidas y las zonas azul claro, corrientes lentas.

Las corrientes marinas son grandes masas de agua, parecidas a los ríos, que fluyen por todo el planeta de unos océanos a otros y mueven el agua entre los lugares cálidos y los fríos.

El calor del Sol, además de provocar el movimiento del aire, hace que se mueva el agua en forma de corrientes. En el mar, la diferencia de temperatura entre los polos

Imagen por satélite de una parte de la corriente del Golfo, una corriente de agua que existe en el océano Atlántico.

y el ecuador es mayor que en tierra firme. Cerca del ecuador, los rayos solares atraviesan la superficie del océano. Por el contrario, en los polos, la inclinación con que los rayos del Sol alcanzan el agua hace que ésta actúe como un espejo y los refleje en lugar de absorberlos.

Efectos de las corrientes

Las corrientes tienen distintas temperaturas y velocidades. Si una corriente es mucho más cálida o más fría que el agua que la rodea, puede afectar en gran medida al clima de las zonas costeras cercanas. Existe una corriente llamada corriente del Golfo entre el golfo de México y Europa (donde se convierte en la deriva del Atlántico Norte) que trae un clima templado al noroeste europeo. La corriente de

Labrador es una corriente fría que fluye desde el océano Glacial Ártico hasta la costa nororiental de América del Norte, que le da su clima frío a Terranova.

El Niño

El asombroso efecto que el calentamiento del mar puede tener sobre el clima y el tiempo queda demostrado con un fenómeno de la atmósfera conocido como El Niño. Cada pocos años se calienta súbitamente una corriente del océano Pacífico, junto a la costa noroccidental de América del Sur. Los científicos no están seguros del porqué, pero ese calentamiento provoca una cadena de cambios climáticos: sequías, inundaciones y fortísimas tormentas.

LOS CICLOS NATURALES

Algunas sustancias, como el nitrógeno y el carbono, están en constante cambio porque forman parte de enormes ciclos. El intercambio de sustancias es esencial para la vida en la Tierra, y en él participan el aire, el agua, las plantas, los animales, y hasta tu propio cuerpo.

Esta parte aumentada de una planta de guisante contiene bacterias que le permiten usar el nitrógeno del aire.

Mantener el equilibrio

Los seres vivos, para vivir y desarrollarse, necesitan sustancias como el oxígeno, el nitrógeno, el carbono y el agua, que obtienen del alimento, la tierra y el aire. Cuando una planta o un animal muere y se descompone, su cuerpo se destruye y desprende gases que van a parar a la atmósfera. Así continúa el ciclo porque se siguen utilizando las mismas sustancias. Este proceso mantiene el equilibrio de gases en el aire.

El ciclo del nitrógeno

Este esquema muestra algunas de las distintas formas que adopta el nitrógeno.

Las plantas absorben el nitrógeno del aire.

Los animales se alimentan de plantas.

Las bacterias convierten el amoníaco del suelo en nitratos, que son absorbidos por las plantas.

Cuando las plantas y los animales muertos se descomponen, el nitrógeno va a parar al suelo.

El aire está compuesto, en un 78%, de nitrógeno (símbolo químico: N), un gas que las plantas y los animales necesitan para crecer. Las plantas lo absorben del aire y también del suelo, ya que ciertas bacterias lo transforman para que puedan utilizarlo. Los animales obtienen el nitrógeno de las plantas que les sirven de alimento, o de otros animales que se alimentan de éstas. Cuando las plantas y los animales mueren, los hongos y las bacterias los descomponen y devuelven el nitrógeno al suelo.

El escarabajo pelotero se alimenta de excrementos. Los insectos como éste ayudan a descomponer la materia vegetal y animal.

Una de las formas del carbono es el carbón, que se utiliza como combustible. Cuando se quema, libera dióxido de carbono.

Ciclo interrumpido

Por sí mismos, estos ciclos crean un equilibrio natural de gases. Sin embargo, los seres humanos están alterando dicho equilibrio porque contaminan la atmósfera con residuos. Los efectos de los problemas que causamos en el ciclo del carbono se explican en las páginas 54 y 55.

Uno de los factores que afectan más al ciclo del nitrógeno es la agricultura. Cuando se recogen las cosechas, se arrancan las plantas que han absorbido los nitratos del suelo. Como las plantas no se descomponen sobre la tierra, el nitrógeno no vuelve al suelo y el ciclo se rompe.

El ciclo del carbono

El carbono forma parte de los gases del aire, en especial como dióxido de carbono (símbolo químico: CO_2), un compuesto de carbono y oxígeno. Las plantas absorben el CO_2 del aire durante el día, lo usan para fabricar su alimento y lo liberan por la noche.

Los animales obtienen el carbono de las plantas que comen, y lo expulsan en sus excrementos y en el aire que expiran. El CO_2 es también el gas que liberan las plantas y los animales al morir y descomponerse. El carbono se puede conservar en restos fosilizados, que acaban formando combustibles fósiles* como el carbón y el petróleo, sustancias que liberan CO_2 al quemarse.

Las algas que hay en este canal crecen tanto porque el agua contiene un exceso de nitratos que provienen de los fertilizantes utilizados en tierras de cultivo cercanas.

Los agricultores usan abonos químicos o fertilizantes* para reponer los nitratos del suelo. Esto puede alterar el equilibrio, ya que resulta difícil calcular la cantidad necesaria. Si se añaden demasiados, pueden filtrarse por el suelo y llegar a los ríos donde dañarían a plantas y animales.

Este esquema muestra algunas de las distintas formas del carbono.

Las plantas absorben el dióxido de carbono del aire para producir su alimento y por la noche lo liberan.

Cuando se queman los combustibles fósiles, se libera dióxido de carbono.

Las plantas y los animales muertos liberan dióxido de carbono al descomponerse.

Los animales obtienen el carbono de las plantas que comen y, al respirar, expulsan dióxido de carbono.

CALENTAMIENTO GLOBAL

Algunos de los gases que hay en la atmósfera ayudan a mantener el calor de la Tierra. Conservan el calor del Sol como lo haría un invernadero, y por eso este proceso se llama "efecto invernadero". Si el nivel de estos gases aumenta, la Tierra podría calentarse demasiado.

Una fotografía aumentada del polen de hierba cana. Si la Tierra se recalentara, el polen de las plantas podría aumentar, perjudicando a las personas alérgicas.

Gases invernadero

La superficie terrestre absorbe una parte del calor del Sol, pero el resto vuelve a la atmósfera. La mayoría va a parar al espacio, pero una parte queda atrapada en la atmósfera, en los llamados gases invernadero. Los principales son el dióxido de carbono y el agua en forma de nubes. Cuanto más aumentan estos gases, más calor queda atrapado.

La mayoría de los gases invernadero son naturales, pero los procesos industriales y la contaminación están aumentando la cantidad de este tipo de gases en la atmósfera. Los científicos creen que hacen que la tierra aumente de temperatura. Este fenómeno se conoce como calentamiento global.

Las plantas son importantes para el equilibrio de los gases invernadero porque absorben el dióxido de carbono.

Equilibrio gaseoso

Cuando quemamos petróleo, carbón o madera, se libera dióxido de carbono; por ejemplo, cuando se queman los bosques para sustituirlos por cultivos. Además, esto reduce el número de plantas que absorben el gas, lo cual altera el equilibrio natural del ciclo del carbono*. Las fábricas, las centrales eléctricas y los coches contribuyen al calentamiento global con su contaminación.

Las autopistas son muy útiles para los conductores, pero la contaminación que generan los coches contribuye al calentamiento global.

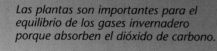

cArthur Blvd
n Wayne Airport
NEXT EXIT

Venecia, en Italia, está construida sobre los más de 100 islotes de la laguna veneciana. Si el nivel del mar sube, acabará desapareciendo bajo las aguas.

La subida del nivel del mar

A medida que aumentan las temperaturas, sube el nivel del mar, lo cual acabará provocando la inundación de las zonas más bajas. Los científicos calculan que el nivel del mar aumenta a razón de 1-2 mm al año, y podría subir entre 25 cm y 1 m antes del año 2100. Este aumento del volumen del agua se debe a dos razones principales: la primera, que cuando los mares se calientan, el agua se dilata y el nivel sube porque el agua ocupa más espacio; la segunda, que las altas temperaturas hacen que los glaciares y el hielo de los polos se derritan, y el agua vaya a parar al mar.

El cambio climático

Si las temperaturas aumentan, se resentirá el clima de todo el planeta. Los científicos predicen que la temperatura media aumentará unos 2 °C el siglo que viene. Se desconocen los efectos de tal aumento, pero algunas zonas podrían volverse más cálidas y secas, y otras más humedas. También podrían aumentar las condiciones atmosféricas extremas como los vientos huracanados y las tormentas.

Los cambios climáticos afectarán también al hábitat* de plantas y animales, ya que algunas especies se verán beneficiadas mientras que otras se verán forzadas a cambiar de entorno para conseguir sobrevivir.

Devolver el equilibrio

La humanidad ya ha comenzado a tomar medidas para reducir la emisión de gases que contribuyen al calentamiento global. Las principales son la utilización de fuentes de energía alternativas y la reducción de los niveles de contaminación.

*Ciclo del carbono, 53; hábi

CLIMAS DEL MUNDO

S e llama clima al tiempo que hace en general dentro de un área en particular del planeta. Los climas varían muchísimo entre las distintas regiones de la Tierra y determinan las características de éstas, ya que afectan a las plantas, los animales y las personas.

Este mapa de la superficie terrestre contiene información sacada de distintos satélites*. Se observan algunos de los principales tipos de climas del mundo.

El arce es un árbol que crece en zonas templadas con mucha vegetación.

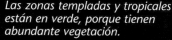 Las zonas templadas y tropicales están en verde, porque tienen abundante vegetación.

 Las sabanas y los desiertos están en amarillo y marrón. Son zonas secas, con escasa vegetación.

 Las regiones nevadas están en azul claro o blanco. Las espirales blancas son nubes.

Tipos de clima

Se pueden establecer tres tipos principales de climas, también llamados biomas*: polar, templado y tropical. El factor más importante a la hora de determinar el clima de una zona es su latitud*, porque de ella depende la cantidad de calor que recibe del Sol, lo cual tiene a su vez un efecto crucial sobre la flora y la fauna que caracteriza a cada zona climática.

El mapa que aparece arriba muestra que las áreas de igual latitud tienen climas muy similares. Las distintas zonas climáticas se describen con mayor detalle en las siguientes páginas.

Hay otros factores, como la altura y la proximidad al mar, que son muy importantes para determinar el clima de una zona en particular.

Las alturas

Las regiones montañosas tienen un clima diferente al de las zonas que están a menor altura. La lluvia y la nieve son frecuentes porque las nubes se ven forzadas a subir para sobrepasar los montes. Los picos de las montañas más altas están nevados durante la mayor parte del año.

La temperatura en las regiones montañosas puede ser muy baja, porque el aire es menos denso en las alturas y no puede almacenar tanto calor. Además, como hay menos tierra para que le dé calor al aire, éste se vuelve más frío.

El alce vive en los bosques de las zonas templadas más frescas.

Tierra y mar

Los mares influyen mucho en el clima. Los lugares más cercanos al mar tienen un clima oceánico, más suave y húmedo que el del interior; aunque puedan estar a la misma latitud, las temperaturas no suelen ser tan extremas. La razón es que la temperatura del mar oscila menos que la del suelo, y eso repercute en el clima de las zonas costeras. El clima de las regiones del interior se llama clima continental.

Suelos distintos

Los distintos tipos de suelo absorben los rayos solares de forma diferente. Las superficies claras, como las zonas nevadas o los desiertos, reflejan estos rayos, mientras que las selvas y los suelos oscuros los absorben. En las zonas que reflejan una proporción mayor de rayos es menos probable que se formen nubes, lo cual implica que en las zonas con superficies más claras llueve menos. Las nubes también reflejan los rayos del Sol, lo cual afecta la cantidad de energía que llega a la superficie terrestre.

LA SELVA TROPICAL

Una selva tropical en Bali, Indonesia. Los árboles que sobresalen forman la llamada capa emergente.

En los trópicos* llueve casi todos los días y hace calor durante todo el año. Existen áreas muy extensas de bosques frondosos y exuberantes llamados selvas tropicales.

A cántaros

En las selvas tropicales caen más de 4.000 mm de lluvia al año. El intenso calor hace que el agua se evapore rápidamente, por lo que el aire es muy húmedo.

En las selvas, el ambiente es oscuro y húmedo. Como los árboles compiten por la luz, crecen muy rápido y abren sus ramas para absorberla. Las hojas forman una gruesa bóveda verde que apenas deja entrar los rayos del Sol.

Este mapa muestra la localización de las selvas tropicales.

En algunos lugares, la bóveda puede alcanzar los 7 m de espesor. El área que hay entre ésta y el suelo se llama piso inferior.

*Trópicos, 146

Habitantes de la selva

Muchas de las comunidades tradicionales o tribus que habitan en las selvas tropicales viven de la recolección de frutos y la caza, o de la agricultura a pequeña escala. Sin embargo, estas zonas tienen otros inquilinos recientes con intereses comerciales que talan y queman los árboles para despejar el terreno y convertirlo en tierras de cultivo o pastizales.

Estos árboles se están quemando para crear espacio para los cultivos.

La vida animal

En las selvas habitan más de la mitad de las especies de plantas y animales que hay en el mundo. Los distintos tipos de animales se han adaptado a la vida en los diferentes niveles de la selva. Muchos viven en las ramas de los árboles, para lo que han de ser buenos trepadores y tener agilidad para ir de un árbol a otro saltando, balanceándose o planeando.

En el piso inferior, la enmarañada vegetación dificulta el movimiento de los animales. Los más grandes suelen ser muy robustos, para poder avanzar por la fuerza. También hay multitud de insectos.

Los lémures voladores trepan a los árboles para alimentarse de hojas y frutos. Utilizan una membrana de piel que tienen entre los brazos y las piernas para planear entre los árboles.

La selva en peligro

Cada año se talan o queman enormes extensiones de selva. La desaparición de tantos árboles afecta el equilibrio de gases en la atmósfera, lo que aumenta el calentamiento global*. Multitud de especies se han extinguido por culpa de la destrucción de su hábitat natural, y otras muchas están en peligro de extinción.

El tití dorado es un tipo de mono en peligro de extinción.

LA SABANA

Las sabanas son llanuras enormes que hay en la zona central de los continentes, entre 5° y 15° al norte y al sur del ecuador, que se caracterizan por la escasa presencia de vegetación arbórea.

Dos estaciones

La sabana tiene dos estaciones: la estación seca, cuando la vegetación se seca y adquiere un tono marrón, y la estación lluviosa, cuando la hierba crece y reverdece.

La estación lluviosa se da cuando los rayos solares inciden directamente y los vientos alisios* confluyen. Como el aire húmedo y cálido asciende, llueve copiosamente. Cuando los rayos del Sol ya no inciden directamente, el punto de encuentro de los alisios cambia y comienza la estación seca. Los alisios son vientos secos porque dejan la humedad en la costa.

La vegetación

En la sabana crecen muy pocos árboles. Uno de ellos es la acacia, cuyo grueso tronco puede resistir los incendios que a veces ocurren durante la estación seca. Sin embargo, existen unas 8.000 especies de hierbas y matorrales, bien adaptados para sobrevivir durante la estación seca, ya que tienen unas raíces muy largas con las que buscan agua.

Este mapa muestra dónde se encuentran las sabanas.

Estas acacias del parque nacional de Taragire, en Tanzania, África, están entre los escasos árboles capaces de sobrevivir en la sequedad de la sabana.

La fauna de la sabana

En la sabana habita un gran número de herbívoros, que atraen a muchos depredadores como el león y el guepardo, que se alimentan de ellos. Al ser una zona desprotegida, muchos animales viven en grandes grupos para que unos puedan vigilar mientras otros comen o descansan.

En las sabanas viven algunos de los animales más rápidos que existen, como el guepardo, la gacela o el avestruz. La velocidad es vital para la supervivencia, tanto para los cazadores como para sus presas. Como apenas hay lugares donde esconderse, la caza suele consistir en una persecución.

En la estación seca, los ñus migran (se desplazan a otras tierras) en busca de alimento y agua. Los ñus migran en masa para protegerse.

El guepardo es el mamífero terrestre más rápido: alcanza los 110 km/h.

La mosca tse-tsé

Hoy en día, muchas zonas de sabana se utilizan para la agricultura. Sin embargo, la más extensa, que es la sabana africana, es casi virgen. Esto se debe a un parásito que porta un insecto llamado mosca tse-tsé, y que infecta a animales y seres humanos. En éstos últimos causa la enfermedad del sueño, que provoca aletargamiento, fiebre y en ocasiones la muerte. En los animales causa una enfermedad llamada nagana.

Primer plano de una mosca tse-tsé alimentándose en un brazo humano

LOS MONZONES

En ciertas épocas del año, algunas zonas tropicales pasan una estación de lluvias torrenciales llamada monzón. Las lluvias son tan fuertes que pueden causar enormes inundaciones, pero la gente depende de ellas para sobrevivir. De hecho, a menudo se celebra el comienzo de esta estación.

Tres estaciones

Los monzones son típicos de ciertas zonas tropicales, en especial del sudeste asiático. Las regiones monzónicas tienen tres estaciones: una estación seca, larga y fresca, una estación húmeda y cálida en la que la tierra está muy seca, y una estación lluviosa en la que hay tormentas casi todos los días.

Durante la época del monzón llueve copiosamente y el viento es muy fuerte. Fíjate en las palmeras e imagínate la fuerza del viento.

Vientos cambiantes

La palabra monzón proviene del árabe y significa "estación". Se refiere a la estación lluviosa y a los vientos que la originan. Durante la estación seca, como la tierra está más fresca que el mar, los vientos secos soplan hacia éste. La estación lluviosa comienza cuando el Sol incide casi directamente. Como la tierra está a mayor temperatura que el mar, los vientos húmedos soplan en dirección al interior. Cuando se secan y se enfrían liberan la humedad, provocando intensas lluvias.

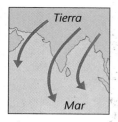

Durante la estación seca, los vientos soplan hacia el mar.

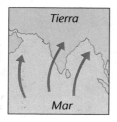

Durante la estación lluviosa, los vientos soplan hacia el interior.

La agricultura

Una cuarta parte de la población mundial vive en zonas monzónicas, y mucha gente depende de la agricultura para alimentarse. Los principales cultivos son el arroz y el té, que requieren mucha agua.

El arroz necesita mucha agua para crecer, y las semillas se plantan durante los monzones, en campos anegados llamados arrozales. Es un alimento importantísimo en muchos países pobres, porque resulta muy barato cultivarlo en grandes cantidades. Un año con poca lluvia puede ser desastroso para los cultivos y provocar hambrunas.

La tala de árboles para obtener madera o despejar el terreno para los cultivos hace que no haya raíces para proteger el suelo*. En las zonas monzónicas, las consecuencias pueden ser graves, porque las lluvias torrenciales arrastran un suelo fundamental para la agricultura.

Cultivos de arroz en China. Los campos se inundan porque el arroz crece bien sobre suelos anegados.

Enfermedades

Un mosquito aumentado. Las regiones monzónicas son ideales para estos insectos.

Tras los monzones se propaga un gran número de enfermedades graves, porque el agua estancada es un caldo de cultivo perfecto para las bacterias que las causan. El tifus y el cólera son las más comunes. El calor y la enorme humedad de estas regiones es ideal para los mosquitos, que transmiten enfermedades como el paludismo o la fiebre amarilla.

*La erosión del suelo, 115

LOS DESIERTOS

Los desiertos son los lugares más calurosos y secos del planeta. Como el agua es muy escasa, los habita poca gente, y sólo unas cuantas especies de animales y plantas sobreviven al calor abrasador del día.

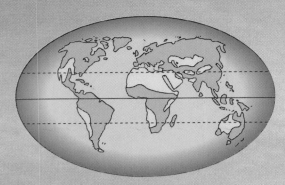

Los desiertos se encuentran entre los 15° y los 30° al norte y al sur del ecuador, salvo contadas excepciones.

Un oasis o zona fértil en el desierto de Thar, en Rajastán, la India. Aquí es donde la gente consigue agua.

El clima del desierto

En la mayoría de los desiertos hace mucho calor de día y mucho frío de noche. Durante el día, el calor es muy intenso porque apenas hay nubes para tapar los rayos solares, y las temperaturas pueden superar los 52 °C. Por la noche, la falta de nubes permite que el calor se escape y la temperatura puede bajar de 0 °C.

En los desiertos caen menos de 250 mm de lluvia al año. Cuando llueve, suele ser en forma de tormentas cortas y violentas. Si la tierra está muy reseca por el calor del Sol, estas breves tormentas pueden causar inundaciones, porque el suelo no es capaz de absorber la lluvia con tanta rapidez.

Los oasis

En el desierto hay agua, pero suele estar escondida bajo tierra en un tipo de roca llamada roca porosa*. En ciertos lugares, en los que estas rocas están en la superficie, se forman zonas húmedas llamadas oasis. Los pájaros, los animales y los seres humanos se reúnen en los oasis para beber, y casi todas las plantas que hay en el desierto crecen a su alrededor.

*Roca porosa, 128

Paisajes desérticos

En el mundo, sólo el 25% de los desiertos son de arena. La mayoría son de roca viva o de piedras, y los hay incluso con impresionantes montañas rocosas. En los desiertos de arena, ésta suele formar unos montículos llamados dunas, que se mueven y cambian de forma por efecto del viento.

A veces, unos vientos muy fuertes azotan los desiertos y causan tormentas de arena que desgastan las rocas que encuentran en su camino. Con el paso de los años, la arena puede darles formas muy curiosas, en un proceso de desgaste denominado erosión*.

Una duna de arena en el desierto africano del Sáhara, el más grande del mundo. Este hombre es un tuareg de una tribu de la región.

Adaptación

A fin de sobrevivir en el desierto, las plantas y los animales se han adaptado para soportar el calor y la escasez de agua.

Algunas plantas desérticas almacenan agua en el tallo o absorben agua del subsuelo gracias a sus largas raíces. Otras reducen la pérdida de agua enrollando sus hojas.

Los animales pierden mucha agua con sus excrementos, pero en el desierto éstos suelen ser secos. Así ahorran agua y pueden aguantar más tiempo sin beber.

Los camellos pueden ingerir litros y litros de agua en unos minutos y aguantar varios días sin beber.

El desierto crece

Los desiertos del planeta están creciendo. Este proceso, llamado desertización, se debe a la destrucción de la vegetación que los rodea. La gente que vive en estas zonas necesita pasto para sus animales y madera para encender fuego. Al destruirse la vegetación, el viento y la lluvia arrastran la tierra con facilidad y se altera el ciclo del agua*. Cuando esto ocurre es muy difícil que vuelva a crecer nada.

* Ciclo del agua, 80; erosión, 118

EL CLIMA MEDITERRÁNEO

El clima mediterráneo es un clima templado* cálido. Se llama así por la región que bordea el mar Mediterráneo, aunque también se da en otras partes del mundo como una pequeña zona alrededor de Ciudad del Cabo (Sudáfrica), Perth (Australia), San Francisco (EE UU) y Valparaíso (Chile).

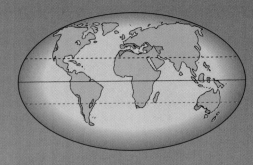

Este mapa muestra las zonas con clima mediterráneo.

Cálido y seco

El clima mediterráneo se encuentra sólo en una pequeña porción del planeta, en las costas occidentales de los continentes, entre 30º y 40º al norte y al sur del ecuador. Los inviernos son suaves y húmedos, y los veranos calurosos y secos.

En verano soplan vientos cálidos y secos de los trópicos*, que traen un tiempo seco. En invierno, la continua lluvia cambia el color del paisaje de marrón a verde.

El mar Mediterráneo (un mar interior) tiene un efecto crucial sobre el clima de los países que baña. En verano, el mar está más frío que la tierra, así que el aire desciende sobre éste y la tierra que lo rodea. Debido a esto las precipitaciones son escasas, y la falta de nubes provoca un aumento de las temperaturas. Los inviernos son suaves y húmedos gracias a las aguas templadas del mar y a las brisas generadas en él.

En otras partes del mundo con clima mediterráneo, las corrientes* costeras tienen un efecto similar al del mar Mediterráneo sobre el sur de Europa.

Un pueblo del sur de Francia, en la Costa Azul, una franja costera mediterránea que atrae a muchos turistas

Las naranjas son típicas del clima mediterráneo.

La vegetación

En las regiones mediterráneas, la vegetación es de dos tipos. Hay árboles como el olivo o el alcornoque, y el monte bajo o matorral. La vegetación está bien adaptada a los veranos secos: sus hojas gruesas y cerosas les permiten perder menos agua, y con sus largas raíces alcanzan el agua del subsuelo.

La agricultura

En las regiones con clima mediterráneo se encuentran los productores de vino más importantes del mundo. La vid es una planta muy bien adaptada al clima, porque tiene las raíces muy largas y la corteza muy dura.

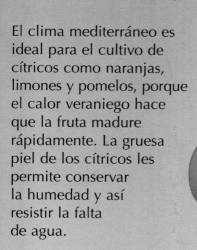

El turismo

Una playa llena de gente en la Costa Azul, en el sur de Francia

Los veranos cálidos y secos de los países mediterráneos como España, Grecia, Italia y el sur de Francia los convierten en lugar de vacaciones para mucha gente del norte de Europa. Acuden en busca de un verano más soleado, y han hecho que el turismo se convierta en un sector importante de la economía de estos países. Los centros turísticos suelen estar en la costa, donde la proximidad del mar y las agradables playas son las principales atracciones.

Un viñedo en el valle del Duero portugués. Las uvas se recogen a mano para producir vino.

El clima mediterráneo es ideal para el cultivo de cítricos como naranjas, limones y pomelos, porque el calor veraniego hace que la fruta madure rápidamente. La gruesa piel de los cítricos les permite conservar la humedad y así resistir la falta de agua.

Como los veranos son tan secos, la mayoría de los agricultores tienen que regar sus tierras para que crezcan los cultivos mediante sistemas de irrigación.

*Corrientes oceánicas, 51, templado, 68; trópicos, 146

EL CLIMA TEMPLADO

Entre los dos círculos polares y los trópicos se encuentra lo que se denomina zona templada. Como sugiere el término "templado", las temperaturas nunca son extremas, pero esta zona es enorme y en ella conviven una gran variedad de climas y paisajes.

En este mapa puedes ver, en color azul, las regiones del planeta que tienen clima templado.

Climas variados

En la zona templada encontramos desde bosques hasta praderas secas, pero en todas las áreas se dan cuatro estaciones*: primavera, verano, otoño e invierno. Esto se debe a la inclinación de la Tierra y a la posición del Sol respecto a los hemisferios.

Las tierras verdes

Las latitudes medias (situadas entre 40º y 60º al norte y al sur del ecuador) tienen un clima lluvioso. Las continuas lluvias, que caen todo el año, se deben al encuentro del aire frío de los polos con el aire cálido de los trópicos*.

El aire cálido asciende, provocando remolinos de nubes y lluvias llamados borrascas.

En estas regiones, gracias a la temperaturas moderadas, la vegetación goza de un periodo de crecimiento muy largo y por eso el paisaje es muy verde. La mayoría de los árboles son caducifolios o de hoja caduca; es decir, se les caen las hojas en invierno.

En esta región, que incluye la mayor parte de Europa, están las zonas agrícolas más ricas gracias a la fertilidad del suelo y las lluvias constantes durante todo el año. Allí se da una gran variedad de cultivos, como por ejemplo los cereales, las verduras o las frutas de árboles caducifolios.

En las regiones templadas muchos árboles son de hoja caduca, es decir, se les caen las hojas en invierno.

Antes de caer, las hojas de los árboles caducifolios cambian de color, pasando de verde a anaranjado, rojo y amarillo.

*Estaciones, 12; trópicos, 146

Las praderas

Vista de una de las grandes praderas de América del Norte.

Las praderas norteamericanas y las estepas rusas son vastas extensiones de pastos situadas en la zona central de los continentes. Los veranos son calurosos, pero los inviernos pueden ser bastante crudos porque estas zonas se hallan alejadas de los efectos compensatorios del mar*.

En estas zonas, las escasas lluvias no permiten que crezcan árboles, así que predomina la hierba. En las extensas praderas de América del Norte, donde apenas hay árboles, las heladas invernales agrietan el suelo, pero los días de verano son largos y cálidos. El trigo se adapta muy bien a estas condiciones, y se cultiva a gran escala.

*Clima oceánico, 57

La vida estacional

Las vidas de muchos animales y plantas de las regiones templadas se adaptan perfectamente al ciclo estacional.

El ciclo vital de las plantas de temporada dura un año. Producen semillas que comienzan a crecer en primavera y a florecer en verano. En otoño producen semillas y frutos y, al terminar el año, mueren. Las plantas perennes duran varios años, pero también florecen en primavera. En otoño comienza la caída de las hojas de los árboles caducifolios que, cuando llega el invierno, se quedan pelados.

A veces, el suelo se congela durante el invierno y escasean las plantas que sirven de alimento a los animales.

Muchos animales se preparan para el invierno almacenando comida. Algunos, como el lirón, resisten la falta de alimento cayendo en un profundo sueño llamado hibernación o letargo, durante el cual su respiración y ritmo cardiaco se ralentizan y no necesitan comer. Otros animales evitan la estación fría migrando a lugares más cálidos.

Un lirón hibernando en su nido durante los meses de invierno

LAS REGIONES POLARES

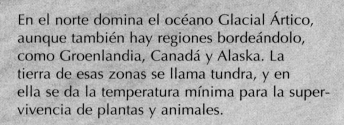

Este mapa muestra el Ártico desde arriba. La línea imaginaria que ves se llama círculo polar ártico.

El Ártico, que es la zona que rodea el polo norte, y la Antártida, alrededor del polo sur, se llaman regiones polares. Allí, las temperaturas son tan frías que el hielo y la nieve cubren enormes extensiones de tierra y mar.

Este mapa muestra la Antártida desde arriba. La línea imaginaria que la rodea se llama círculo polar antártico.

La Antártida

En el centro del Antártico hay un continente (una masa de tierra) llamado Antártida, que está cubierto por una espesa capa de hielo. Las temperaturas son tan bajas que la nieve no se derrite, sino que se va acumulando. El peso de la nieve hace que las capas inferiores se compriman y se forme hielo.

Como hace tanto frío, en la Antártida no vive ningún mamífero terrestre de forma permanente, pero algunos, como las focas, acuden a criar. Algunas aves marinas, como los pingüinos, viven allí todo el año.

El pingüino emperador es una de las siete especies distintas de pingüino que habitan en la Antártida.

El Ártico

En el norte domina el océano Glacial Ártico, aunque también hay regiones bordeándolo, como Groenlandia, Canadá y Alaska. La tierra de esas zonas se llama tundra, y en ella se da la temperatura mínima para la supervivencia de plantas y animales.

En verano, el hielo que hay sobre el suelo se descongela y éste se encharca, porque por debajo sigue estando congelado y el agua no se filtra. Esta capa congelada se llama permafrost.

Contra el frío

Algunos animales polares están adaptados a la vida en el mar, porque los vientos helados dificultan la supervivencia en tierra. Por ejemplo, los pingüinos no vuelan y las focas se mueven con torpeza en tierra, pero ambos son magníficos nadadores. Otros se han adaptado al frío de manera distinta: los osos polares tienen bajo la piel una gruesa capa de grasa que les sirve de abrigo, y los bueyes almizcleros cuentan con un pelaje espeso y enmarañado. Muchos animales polares tienen las orejas pequeñas para reducir la pérdida de calor.

Estos pingüinos se agrupan para entrar en calor, y se turnan para ponerse en la parte de fuera del grupo.

El blanco manto invernal del zorro ártico le permite camuflarse entre la nieve.

Camuflaje

Algunos animales del Ártico cambian de pelaje en invierno y en verano. En invierno, cuando nieva, son de color blanco para camuflarse en su entorno. En verano, su pelaje se vuelve marrón para confundirse mejor con el suelo. Esta ventaja les permite esconderse de sus depredadores o acercarse a sus presas sin ser vistos.

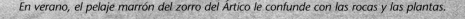

En verano, el pelaje marrón del zorro del Ártico le confunde con las rocas y las plantas.

Refugios árticos

Algunos animales que viven en el Ártico se refugian en la nieve para protegerse del viento. Por ejemplo, los osos polares excavan madrigueras con muchas cámaras para que puedan guarecerse sus cachorros.

LAS MONTAÑAS

Alrededor del 5% de la superficie terrestre está formada por montañas y cordilleras. Estas zonas presentan más de un tipo de clima porque, a medida que se gana altura, el aire es menos denso y la temperatura desciende.

El Gran Desierto de Nevada está en el lado protegido, o sombra pluviométrica, de las montañas de Sierra Nevada, en EE UU.

Las cordilleras

La mayoría de las montañas se forman cuando las placas de la corteza terrestre chocan entre sí, haciendo que la tierra se pliegue y forme montañas de plegamiento*. Por eso suelen formar largas cadenas montañosas o cordilleras.

Cuando el aire sopla desde el mar hasta una cordillera montañosa, se ve forzado a subir. Las minúsculas gotas de agua que contiene se enfrían y se condensan, formando nubes que dejan lluvia o nieve en las laderas. La zona protegida del otro lado, llamada sombra pluviométrica, recibe muy poca lluvia y puede convertirse en un desierto.

Picos montañosos de los Andes, en la frontera entre Chile y Argentina

Cotas montañosas

En una montaña, cuanto más alto subes, más frío hace. Esto se debe a que, en las alturas, el aire es menos denso y almacena menos calor. En las distintas cotas, el tiempo, la vegetación y los animales son diferentes. En los picos viven sólo unas pocas especies, y en las laderas pastan ovejas y cabras montesas. A menor altura ya pueden crecer los árboles, formando bosques en los que viven, por ejemplo, el puma y la liebre.

Adaptación

Las especies de montaña están adaptadas para sobrevivir al intenso frío y al fuerte viento. Las plantas no son muy altas y sus raíces son profundas para agarrarse bien al suelo. Muchos animales tienen los pulmones muy grandes para aprovechar el escaso oxígeno del aire, y un espeso pelaje para abrigarse.

El nomeolvides alpino está adaptado al clima montañoso: tiene un tallo más corto y grueso, y las raíces más profundas que el nomeolvides común.

Un pastor del País Vasco francés con dos cabritos. Las cabras están bien preparadas para el clima montañoso.

Los montañeses

Como ocurre con los animales, la gente que vive en las montañas tiene los pulmones más grandes de lo normal, y eso les permite respirar con mayor facilidad en un aire menos denso. También pueden verse aislados de otras culturas. Por ejemplo, los vascos, que han vivido durante miles de años en los Pirineos, entre Francia y España, hablan euskera, una lengua que no se parece a ninguna otra. Esto se debe a que, al vivir en las montañas, no se mezclaban con otras gentes.

*Montañas de plegamiento, 19

CAMBIOS CLIMÁTICOS

Desde la formación de la Tierra, el clima ha experimentado muchos cambios, tal vez debidos a erupciones volcánicas, colisiones con asteroides e incluso a la ruta del sistema solar a través del espacio. Estos cambios afectan a la atmósfera, al paisaje y a los seres vivos.

El contorno rojo muestra las zonas de la Tierra que estaban cubiertas de hielo durante la última glaciación. Las zonas blancas siguen cubiertas de hielo hoy en día.

Hace mucho tiempo, una actividad volcánica generalizada pudo causar incendios que dañaron el hábitat de muchas especies, provocando su desaparición.

Las glaciaciones

Desde su formación, la Tierra ha sufrido varias glaciaciones, en las que el clima era más frío que ahora y los glaciares* ocupaban una gran parte del planeta. Además, el nivel del mar era más bajo, porque mucha agua se había convertido en hielo.

Dentro de cada glaciación han existido periodos un poco más cálidos llamados interglaciales. La última glaciación de la Tierra fue hace varios miles de años; luego el clima se volvió más cálido y la mayoría del hielo se derritió. Sin embargo, la glaciación podría no haber terminado. Algunos expertos piensan que nos encontramos en un periodo interglacial.

Las glaciaciones se deben a causas distintas. El movimiento de la galaxia por el espacio podría hacer que la Tierra entrase en campos magnéticos, y éstos impidieran que le llegase el calor del Sol. También podría alterar su órbita, alejarse del Sol y enfriarse.

Explosiones

Las pautas climáticas generales pueden verse afectadas por sucesos aislados, como erupciones volcánicas de gran magnitud o choques con asteroides (rocas espaciales). En el pasado, debido a sucesos de este tipo, la atmósfera terrestre pudo haberse llenado de humo y polvo que no dejaran pasar la luz solar. Esto pudo provocar un enfriamiento del clima y la muerte de muchas plantas.

*Glaciares, 130

Pruebas geológicas

Gracias a las rocas y los fósiles sabemos que el clima de la Tierra ha cambiado. Muchas rocas se forman gradualmente en capas, que ofrecen información sobre lo ocurrido y reciben el nombre de registro fósil. En periodos más cálidos de la historia de la Tierra había más plantas y animales vivos, y por tanto se conservan más fósiles. Las capas con menos fósiles indican periodos más fríos en los que había menos seres vivos.

Los paisajes también nos dan pistas sobre el pasado. Por ejemplo, un valle con forma de U nos indica que en esa zona existió un glaciar.

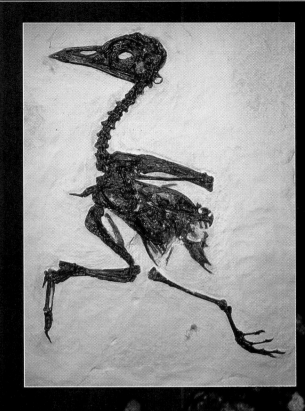

Los fósiles hallados en piedra, como éste de un pájaro bien conservado, nos revelan el tipo de animales que vivían en cada sitio.

Además de tapar la luz solar con humo y cenizas, las erupciones volcánicas destruyen las plantas cubriendo el suelo de lava, roca derretida incandescente que lo quema todo a su paso.

La deriva

Las placas* que forman la corteza terrestre han cambiado de posición, alterando el clima de cada continente: por ejemplo, la zona occidental de África se encontraba en el polo sur. A medida que fue acercándose al ecuador, recibió más luz solar y el clima se volvió más cálido. Las corrientes oceánicas* afectan también al clima. A medida que los continentes se fueron separando, comenzaron a fluir corrientes entre ellos, llevando agua fría o caliente de otras partes del planeta.

*Corrientes oceánicas, 51; placas, 18

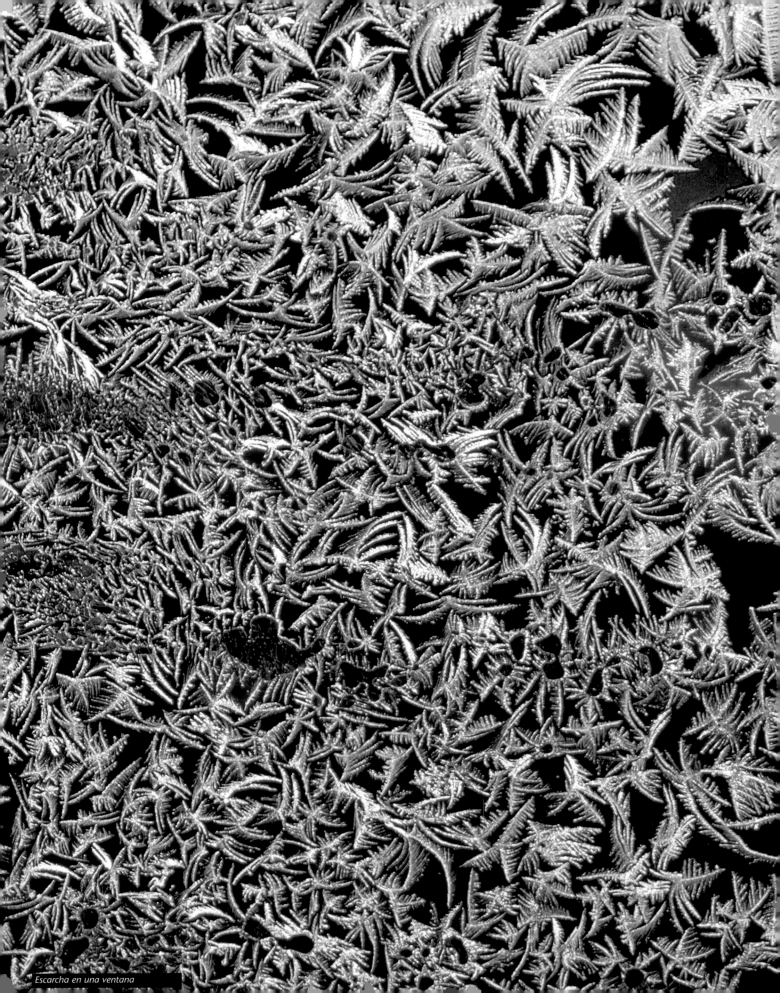

Escarcha en una ventana

EL TIEMPO

¿QUÉ ES EL TIEMPO?

El tiempo es el modo en que se comporta la atmósfera* terrestre: si hace frío o calor; si hay viento o calma; si llueve, nieva o graniza. El clima* se refiere en general a la temperatura y el tiempo que hace en un lugar determinado. Sin embargo, el tiempo cambia de un día para otro y es mucho más difícil de predecir.

La importancia del tiempo

El tiempo nos influye a todos. Por ejemplo, las cosechas dependen de las condiciones atmosféricas, y también las vacaciones de verano o las estaciones de esquí. Además, el tiempo provoca algunos de los desastres más graves del planeta, como inundaciones, derrumbamientos, tormentas de hielo, sequías o hambrunas.

Unas condiciones meteorológicas adecuadas son tan importantes que, desde hace miles de años, la gente ha adorado a los dioses del tiempo y han existido rituales para intentar influir en él. Sin embargo, ni siquiera la tecnología moderna nos permite controlarlo.

Este bailarín japonés lleva un traje especial y agita una especie de pluma, como parte de una danza tradicional para invocar la lluvia.

*Atmósfera, 48; clima, 56; cúmulos, 81; evaporación, 80

El tiempo atmosférico

El tiempo está formado por tres ingredientes principales: temperatura, movimiento del aire y porcentaje de agua en el aire.

Cuando hace calor es porque el Sol calienta el suelo y la atmósfera*. Cuando el Sol se esconde entre las nubes o sopla un viento frío, la temperatura baja.

El viento también se debe al Sol: el aire, al calentarse, se dilata, se hace menos denso y asciende. Una masa de aire más frío y pesado, llamado frente frío, entra rápidamente a sustituirlo. Éste es el origen del viento.

Además, es el calor del Sol el que hace que el agua de las plantas, el suelo, los ríos y los mares se evapore*. El agua forma nubes y puede caer en forma de lluvia, nieve o granizo.

Estos tres factores están en constante cambio e interacción, y de su combinación surgen pautas meteorológicas muy complicadas. En las páginas siguientes podrás saber más sobre las mismas.

Los paraguas y las sombrillas se han usado desde hace cientos de años. Estas sombrillas de papel sirven para protegerse del Sol.

Indicios tradicionales

Los cúmulos suelen aparecer en días cálidos y soleados.

El comportamiento de las abejas nos puede ayudar a predecir el tiempo.

Hoy en día, los expertos predicen el tiempo usando satélites y ordenadores. Pero antes de que se inventaran, el tiempo se predecía observando indicios como la forma de las nubes y el comportamiento de los animales. Por ejemplo, los cúmulos* suelen ser un signo de buen tiempo, y las abejas suelen volver a sus colmenas cuando se avecina una tormenta.

El tiempo en cifras

• Las piedras de granizo más pesadas cayeron en 1986 en Gopalganj, Bangladesh, y pesaron hasta 1 kg.

• El lugar más lluvioso del mundo es Tutunendo, Colombia, donde caen casi 12.000 mm de lluvia al año.

• Los copos de nieve más grandes de los que se tiene constancia tenían 38 cm de diámetro y cayeron en 1887 en Fort Keogh, Montana, EE UU.

• El lugar más seco del mundo es Calama, Chile. Cuando llovió en 1971 hacía 400 años que no caía una gota.

AGUA Y NUBES

La cantidad de agua que hay en la Tierra no cambia, sino que el agua cambia de estado en un larguísimo ciclo. Existe en estado líquido en mares y ríos, sólido en forma de hielo, nieve y granizo, y gaseoso en forma de nubes.

Los copos de nieve se forman cuando las gotas de agua se congelan, formando cristales de hielo. Los hemos tintado para que aprecies mejor sus seis caras.

El ciclo del agua

Cuando el agua se calienta pasa de estado líquido a gaseoso, y forma gotitas invisibles que flotan en el aire, en un proceso llamado evaporación.

El calor del Sol hace que el agua se evapore de los ríos, lagos y mares. Además, las plantas absorben el agua del suelo y ésta escapa de sus hojas en forma de gotas minúsculas, y los humanos y los animales expulsamos esas mismas gotitas al respirar.

Esas gotitas de agua ascienden y pierden temperatura, porque el aire se hace más frío con la altura. Esto hace que el agua se condense y vuelva a su estado líquido en gotas más grandes, que forman las nubes. A medida que las nubes se enfrían, las gotas de agua se acumulan y se hacen más grandes. Cuando pesan demasiado, caen en forma de lluvia y vuelven a los ríos, lagos y mares. Este proceso se denomina ciclo hidrológico.

Cuando las gotitas de agua de las nubes pesan demasiado caen en forma de lluvia, nieve o granizo.

El agua llega hasta el mar en forma de arroyos y ríos.

Las gotitas de agua del aire ascienden, se enfrían y forman nubes.

Las plantas y los animales utilizan el agua caída en forma de lluvia.

El agua se evapora de los ríos y mares debido al calor del Sol.

Esquema del ciclo hidrológico

Las nubes

La forma de las nubes depende de la rapidez con que se forman y de la cantidad de agua que almacenan. Si se forman lentamente y con un ritmo constante, se extienden por el cielo formando un manto. En días calurosos, las nubes crecen con más rapidez y se hinchan. Cuanto más grandes son las gotas de agua, más oscuras son las nubes.

Estas nubes, altas y agrupadas, son cumulonimbos fotografiados sobre el golfo de México. Los cumulonimbos están a una temperatura muy baja en la parte superior, y algo mayor en la inferior.

Los cúmulos son nubes blancas, hinchadas y algodonadas. Suelen formarse a gran altura cuando el tiempo es cálido y soleado.

Los estratos son capas de nubes bajas que a menudo impiden el paso de la luz solar.

Los cirros son nubes altas y finas. Cirro proviene del latín cirrus, que significa "fleco".

Las precipitaciones

Precipitación es el nombre que recibe el agua que cae sobre la superficie terrestre, y la lluvia es la forma más común. Existen muchos tipos, desde una ligera llovizna hasta un copioso chaparrón o las lluvias monzónicas*. La lluvia es vital para las plantas y los animales, y el exceso o la ausencia de ésta puede resultar desastroso.

Cuando hace mucho frío, las precipitaciones son en forma de nieve o granizo. En el esquema de la derecha puedes ver cómo se forma el granizo.

El granizo comienza en forma de cristales de hielo que aparecen en cumulonimbos gigantes.

El viento hace que los cristales se muevan dentro de la nube.

Al moverse, los cristales van acumulando gotitas de agua, que se congelan a su alrededor formando capas como las de una cebolla.

Las capas de hielo se acumulan hasta formar las bolas de granizo que caen al suelo.

*Monzones, 62

TORMENTAS

A veces, cuando hace calor, se forman con rapidez nubarrones enormes, que están llenos de agua y corrientes de aire muy veloces. Pueden generar electricidad suficiente para provocar rayos y truenos.

Nubes eléctricas

Cuando hace mucho calor y humedad, una gran cantidad de gotitas invisibles de agua asciende a toda velocidad. A medida que suben y el aire se enfría, forman nubes altas e hinchadas llamadas cumulonimbos.

Dentro de la nube se produce un rozamiento entre las gotas de agua y los cristales de hielo debido a los remolinos de aire. Esto hace que ambos acumulen una fuerte carga eléctrica, algunos negativa (-) y otros positiva (+). Las cargas negativas se agrupan en la parte inferior de la nube, lo que hace que haya una enorme diferencia de energía entre la nube y el suelo, que tiene carga positiva.

Esa diferencia llega a crecer tanto que necesita igualarse, y una chispa gigantesca surge desde la nube hasta el suelo para compensar las cargas. Esas chispas son los rayos y los relámpagos.

En la imagen de la izquierda, tomada por satélite, vemos desde arriba unas nubes de tormenta o cumulonimbos.

Los rayos zigzaguean por el aire, buscando el camino más fácil desde la nube hasta el suelo.

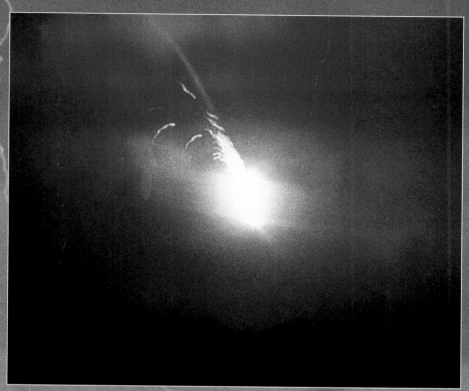

Los rayos de bola son un tipo poco conocido de rayos que parecen una pequeña bola flotante de luz. Pueden atravesar paredes y se han visto en el interior de edificios y aviones.

El rayo

La trayectoria de un rayo es primero descendente y después ascendente. La trayectoria inicial de la descarga es invisible y va desde la nube al suelo, señalando el camino para la descarga de retorno desde el suelo hasta la nube, que es la que vemos.

La descarga contiene tanta energía que calienta el aire que la rodea. El calor hace que el aire se dilate con rapidez y provoque una explosión, que es el ruido del trueno.

Rayos peligrosos

Los rayos siempre toman el camino más corto entre la nube y el suelo. Por eso suele alcanzar los lugares altos, los edificios o los objetos prominentes, como los árboles o las personas.

Un rayo calienta rápidamente todo lo que toca. Si cae sobre un árbol, el agua que éste contiene hierve al instante y se convierte en vapor, lo que hace estallar el tronco. Aunque los rayos son peligrosos, no suelen caer sobre la gente. Para estar a salvo durante una tormenta, lo mejor es evitar los árboles y los espacios abiertos.

VENDAVALES

Debido a la rotación del planeta, los vientos no soplan en línea recta, sino en espiral. A veces, esas espirales acaban formando terribles tormentas como los huracanes o los tornados, que son los vientos más rápidos de la Tierra.

Imagen tomada por satélite del huracán Odessa

El efecto Coriolis

Los vientos se originan cuando el aire a alta presión se lanza sobre las zonas de bajas presiones, llamadas borrascas. En lugar de hacerlo en línea recta, el aire las rodea formando una espiral. Este fenómeno se llama efecto Coriolis, y se debe a que la rotación de la Tierra siempre empuja los vientos hacia el mismo lado.

Los huracanes

Los huracanes son vientos tremendamente fuertes que pueden azotar zonas de cientos de kilómetros. Sólo se forman en condiciones de extremo calor y humedad, normalmente sobre los océanos de las zonas tropicales que rodean el ecuador, aunque se desconocen sus causas exactas.

La presión del aire cálido y húmedo es muy baja, por lo que los vientos más fríos giran en espiral hacia él.

El aire húmedo asciende y se condensa formando nubes muy densas, que giran en espiral por efecto del viento.

A veces, los huracanes llegan a tierra, causando daños incalculables. Se registran vientos de hasta 240 km/h, que pueden derrumbar edificios y arrancar árboles de cuajo. Sin embargo, una vez en tierra no suelen durar mucho, ya que allí no tienen suficiente humedad para mantenerse activos.

Los tornados

Los tornados son mucho más pequeños que los huracanes, pero son incluso más peligrosos. Se forman cuando, durante una fuerte tormenta, una corriente de aire caliente en rápida ascensión choca contra una corriente de aire frío que desciende. Debido al efecto Coriolis, el aire frío y el caliente giran en espiral formando un estrecho embudo entre la nube y el suelo. Los vientos de un tornado pueden alcanzar una velocidad de 480 km/h, la más alta registrada por el viento en nuestro planeta.

Cuando el tornado llega al suelo, puede alcanzar una anchura de 500 metros y lo arrasa todo a su paso. Los vientos son tan fuertes que puede arrastrar animales, personas y hasta coches, pero no duran mucho tiempo. Un huracán puede durar hasta diez días, pero los tornados suelen durar sólo unos minutos, ya que se desvanecen cuando el aire que tienen dentro se enfría y la presión se compensa.

Un tornado parece un enorme tronco de árbol que se agita desde las nubes hasta el suelo.

Tornado Alley

Algunos lugares sufren frecuentes tormentas y tornados. En una región de EE UU, entre Texas e Illinois, ocurren tantos que se conoce como Tornado Alley ("callejón de los tornados"). El peor tornado del que se tiene constancia ocurrió también en EE UU, en Ellington, Missouri, el 18 de marzo de 1925. Duró tres horas y media y destruyó cuatro pueblos, cobrándose 689 vidas.

Mangas de agua

A veces, los tornados ocurren sobre el mar, de donde absorben el agua formando un enorme embudo que llega hasta las nubes. Estos tornados se llaman mangas de agua. Antiguamente, los marinos creían que eran enormes monstruos marinos con forma de serpiente.

Este grabado, que muestra unas monstruosas mangas de agua, es de un libro del siglo XIX que trata del tiempo, titulado L'Atmosphère*.*

INUNDACIONES Y SEQUÍAS

Las plantas, los animales y las personas necesitan agua para sobrevivir, y dependen del tiempo para conseguirla. Si llueve poco, los ríos y los cultivos se secan. Por el contrario, si llueve demasiado, las inundaciones pueden dañar las cosechas y los edificios, además de arrastrar un suelo vital.

Río Nilo

Gran Presa de Asuán

Lago Nasser

La crecida veraniega del Nilo riega las tierras del valle de su mismo nombre y las hace fértiles (buenas para cultivar). El lago Nasser es un embalse formado por la Gran Presa de Asuán.

Húmeda y seca

En ciertas partes del mundo llueve siempre más que en otras, y en muchos sitios hay estación húmeda y seca. Las estaciones de lluvia y de sequía no suelen ser problemáticas si son regulares. Sin embargo, cuando por un cambio meteorológico repentino llueve mucho o demasiado poco, la población puede verse en peligro.

Esta imagen muestra una grave inundación en Vietnam. La gente utiliza botes para ir de un lado a otro.

Demasiada lluvia

El agua de lluvia es absorbida por el suelo, o va a parar a arroyos o ríos. Una inundación ocurre cuando cae demasiada agua y en tan corto espacio de tiempo que el suelo no puede absorberla. Entonces los ríos, arroyos y alcantarillas se desbordan. Esa agua puede provenir de la lluvia de las tormentas o del deshielo de las montañas que va a parar a arroyos y ríos, o incluso del mar.

Suciedad y enfermedades

Las inundaciones son muy peligrosas, ya que pueden ahogar a personas y animales, y acabar con casas y cosechas. Lo curioso es que pueden causar escasez de agua potable al cubrir la tierra de agua estancada y sucia que contamina las reservas. Además, esto favorece la transmisión de enfermedades.

La falta de lluvia puede hacer que el suelo se endurezca y se quiebre hasta acabar convirtiéndose en polvo.

Esta fuente es de agua limpia y potable, pero el agua estancada y sucia que la rodea puede contaminar el pozo.

Falta de lluvias

Las sequías ocurren cuando cae menos lluvia de la esperada. Son difíciles de predecir, pero suelen darse cuando los vientos cambian de dirección y las nubes que transportan agua no llegan a tierra. Una sequía pertinaz puede durar varios años y acabar con la fertilidad de una región.

Los efectos de las sequías pueden ser aún peores si la tierra no se ha trabajado adecuadamente.

Entre 1931 y 1938, hubo una terrible sequía en la región de las grandes praderas del sur de EE UU. Los agricultores habían sobreexplotado la tierra y arrancado la vegetación que sostenía el suelo. Cuando llegó la sequía, el viento levantó el suelo convertido en polvo, provocando violentas tormentas de arena. La zona quedó inutilizada para los cultivos.

HIELO Y FUEGO

La temperatura de la Tierra va desde los 88 °C bajo cero de la gélida región de Vostok, en la Antártida, al calor abrasador de los 58 °C de Al'Aziziyah, en Libia. El frío o el calor extremos pueden ser mortales, y a veces tienen efectos imprevisibles sobre la gente y los lugares.

Estos niños del pueblo inuit de Alaska, EE UU, llevan los abrigos tradicionales o parkas, hechos de pieles de animales.

Un mundo de hielo

Las tormentas de hielo ocurren cuando llueve sobre superficies heladas. En invierno, cuando una masa de aire caliente atraviesa una zona fría, las precipitaciones son en forma de lluvia en lugar de nieve o granizo. Pero, cuando las gotas de agua caen sobre carreteras, coches, casas y árboles helados, forman inmediatamente una capa de hielo sólido.

Las tormentas de hielo son preciosas, pero letales: si llueve mucho, todo queda cubierto por una capa de hielo de hasta 15 cm de espesor. Las carreteras se vuelven muy peligrosas, el hielo se acumula en los tejados y en las ramas de los árboles hasta derribarlos. Lo mismo sucede con los cables de la luz. Si la electricidad y las carreteras quedan cortadas, la gente puede morir de frío en sus propias casas.

Las ventiscas

Las ventiscas son una combinación de vientos fuertes e intensas nevadas. Son muy peligrosas porque sus víctimas quedan cegadas por los remolinos de nieve, además de sufrir el intenso frío. En 1995, murieron dos equipos de fútbol en Yellowknife, Canadá, cuando una ventisca cayó sobre el campo y los jugadores no pudieron siquiera volver a los vestuarios.

Esta rama sufrió una tormenta de hielo en Kingston, Canadá, en 1998.

Olas de calor

Una ola de calor es un periodo de calor muy intenso que se debe a una combinación de factores: la falta de viento y nubes hace que el Sol recaliente la tierra y la atmósfera más de lo normal. Cuanta más temperatura alcanza el aire, más agua puede almacenar en forma de gotitas invisibles. Esto hace que sea muy húmedo y nos dé una sensación "pegajosa".

En muchos lugares calurosos, la gente duerme la siesta en las horas centrales del día para evitar el bochorno.

Este muchacho egipcio lleva ropa blanca para reflejar el calor del Sol y poder estar más fresco.

Las insolaciones

Una insolación ocurre cuando tenemos demasiado calor, normalmente bajo el Sol. Cuando hace mucho calor, el cuerpo empieza a sudar para que el sudor que se evapora de la piel lo refresque. Una insolación hace que el cuerpo deje de sudar y acumule demasiado calor. Se puede incluso entrar en coma.

Una insolación puede ocurrir muy rápido, sobre todo en un coche, donde las ventanas hacen de invernadero y evitan que salga el calor. Por eso, en días calurosos, no debe dejarse a los bebés ni a los animales dentro del coche.

El Sol y la piel

Aunque el Sol nos da calor y energía, sus rayos pueden ser perjudiciales: pueden provocar arrugas, quemaduras e incluso cáncer de piel.

Un cartel de aviso a los australianos para que lleven camiseta, crema protectora y gorra.

Ojo con el calor

El calor y la humedad excesivos pueden alterar el comportamiento. En Nueva York, EE UU, se cometen más asesinatos cuando sube la temperatura, y los disturbios callejeros más graves han ocurrido en noches de mucho calor y humedad. Nadie sabe por qué el calor nos irrita más fácilmente.

Estos disturbios ocurrieron en la calurosa ciudad de Los Ángeles, EE UU, en 1992.

FENÓMENOS EXTRAÑOS

A veces, el tiempo se comporta de forma sorprendente. En ocasiones ocurren cosas tan extrañas que no parecen deberse a fenómenos meteorológicos naturales, como luces extrañas en el cielo, lluvias de ranas y hasta nubes que parecen ovnis.

La magia del tiempo

Cuando alguien contempla un fenómeno meteorológico de este tipo puede creer que está asistiendo a algo mágico o sobrenatural. Por eso, el tiempo puede ser el origen de muchas creencias tradicionales sobre hadas y fantasmas, e incluso avistamientos de ovnis. Hay un tipo de nube, llamada lenticular, que es exactamente igual que un platillo volante.

La peculiar forma de las nubes lenticulares se debe a los vientos que soplan sobre los picos montañosos. Ésta fue vista en Mauna Kea, Hawai, EE UU.

Luces fantasmales

La aurora boreal y la aurora austral iluminan los cielos polares con colores azules, rojos, verdes y blancos. Su origen son las cadenas de partículas eléctricas que vienen del Sol. Al entrar en contacto con los gases de la atmósfera terrestre, liberan una energía que ilumina el cielo.

Las erupciones solares son tormentas que envían partículas eléctricas al espacio, provocando auroras en la Tierra.

La aurora boreal es un fenómeno asombroso que aparece en los cielos del norte o septentrionales.

Lluvia de ranas

A lo largo de los siglos, se ha hablado de "lluvias" de animales, peces u otras cosas, y ya en el año 77 d.C. el historiador romano Plinio habla de una lluvia de ranas. En el siglo IV cayó sobre una ciudad de Grecia una lluvia de peces que duró tres días. En Inglaterra, durante una tormenta en 1939, cayeron tantas ranas que la gente no quería salir a la calle para no pisarlas.

Este fenómeno se debe probablemente a que los tornados* se llevan a los animales de charcas y ríos de donde absorben el agua. Las ranas son las más comunes, pero también ha habido lluvias de caracoles, gusanos, lombrices e incluso ovejas.

A veces se han visto ranas como ésta caer del cielo.

En esta revista de mayo de 1958 se habla de una lluvia de ranas que había caído recientemente.

Olas gigantes

Las olas gigantes son uno de los fenómenos meteorológicos más peligrosos. A veces los huracanes* provocan olas que pueden engullir barcos enteros, y los seísmos pueden originar maremotos o tsunamis*. Pero algunas olas gigantes parecen surgir de la nada, hasta cuando no hay temporal. Los científicos creen que se forman cuando se unen varias olas más pequeñas.

Estas olas son especialmente peligrosas, ya que se producen cuando hace buen tiempo y los barcos no están preparados para hacer frente a las tormentas, por lo que la tripulación puede estar en cubierta y caer por la borda con facilidad.

*Huracanes, 84; tornados, 85; tsunamis, 44

LA PREDICCIÓN DEL TIEMPO

A veces, el tiempo nos parece impredecible pero, gracias a la observación, los meteorólogos (los científicos que estudian el tiempo) aprenden cómo se comporta y pueden predecirlo. El radar y los satélites* les ayudan a realizar un seguimiento de las nubes y observan el tiempo desde el espacio.

Esta imagen, tomada por satélite, muestra la temperatura del mar. El agua se evapora de las zonas más cálidas (en rosa) y forma nubes. Este tipo de mapas se usa para predecir las lluvias o las sequías.

La medición del tiempo

En las estaciones meteorológicas se miden distintos aspectos del tiempo, como la temperatura, la presión atmosférica y las precipitaciones. Los globos y aviones de los servicios meteorológicos transportan equipos que pueden seguir los movimientos de las nubes y los vientos a gran altura.

Alta tecnología

Desde la década de 1960 se utilizan satélites para registrar el tiempo desde el espacio. Desde sus órbitas alrededor del planeta, los satélites obtienen fotografías y miden la temperatura de la superficie terrestre.

Los satélites geoestacionarios como éste giran alrededor de la Tierra a 36.000 km del ecuador.

En la superficie, se utilizan sistemas de radar para detectar frentes nubosos. Estos aparatos envían unas ondas que rebotan en las gotas de lluvia y vuelven a unos radares gigantescos. Las señales se recogen por ordenador y gracias a éstas se obtienen mapas que muestran la dirección de los frentes lluviosos.

Predicción científica

Para predecir el tiempo, se utilizan ordenadores muy potentes que almacenan las lecturas de las estaciones y los satélites con el fin de detectar pautas de referencia y realizar predicciones. Por ejemplo, gracias a una imagen por satélite se puede ver la formación de un huracán sobre el océano que se dirige a la costa. Calculando su tamaño, velocidad, fuerza y dirección, los meteorólogos pueden adivinar dónde y cuándo llegará a tierra.

Hoy en día, los meteorólogos sólo pueden predecir el tiempo con unos días de antelación. El tiempo puede cambiar tan rápido que a veces las predicciones son erróneas.

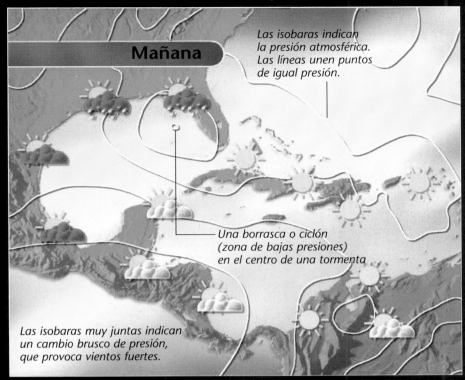

Mañana

Las isobaras indican la presión atmosférica. Las líneas unen puntos de igual presión.

Una borrasca o ciclón (zona de bajas presiones) en el centro de una tormenta

Las isobaras muy juntas indican un cambio brusco de presión, que provoca vientos fuertes.

En los mapas del tiempo se usan unas líneas llamadas isobaras para indicar diferencias de presión, y símbolos para indicar tiempo soleado, lluvia o nieve.

Fotografía de un huracán sobre el océano Pacífico, tomada por satélite

LA FLORA Y LA FAUNA

EL REINO VEGETAL

La Tierra es el único planeta conocido que alberga vida. Existen millones de tipos de seres vivos distintos sobre la Tierra, divididos en dos grandes grupos: flora y fauna (plantas y animales). Todos necesitan luz y calor del Sol, alimento, agua y aire para sobrevivir.

La Tierra es el único planeta conocido que, desde el espacio, se ve de color verde y azul.

El planeta verde

La mayoría de las plantas tienen hojas y tallos verdes porque contienen una sustancia verde, llamada clorofila, que les ayuda a producir su alimento mediante un proceso llamado fotosíntesis. Vistos desde el espacio, en los continentes predomina el color verde por los millones de plantas que los cubren.

Alimento para plantas

Para alimentarse, las plantas transforman la luz del Sol en sustancias químicas nutritivas. Este proceso tiene lugar en las hojas y se llama fotosíntesis, que significa "construyendo con luz".

Para la fotosíntesis, las plantas necesitan agua y nutrientes que extraen del suelo con las raíces. También absorben dióxido de carbono del aire a través de unos diminutos orificios que tienen en las hojas, llamados estomas. Con todo esto producen glucosa, un tipo de azúcar con el que se alimentan, además de oxígeno y agua.

El Sol proporciona energía en forma de luz.

Las flores de las plantas producen las semillas, que se convertirán en otras plantas.

El dorso de una hoja visto al microscopio

Las hojas convierten el agua y el dióxido de carbono en glucosa y oxígeno.

Tallo de hoja

El tallo transporta el agua y los nutrientes desde las raíces a las hojas y las flores.

Los estomas dejan entrar el dióxido de carbono y liberan agua y oxígeno.

*Nutrientes, 112

Una secuoya gigante. Suelen encontrarse principalmente en California, EE UU.

¿Por qué las necesitamos?

Las plantas son esenciales para la vida en la Tierra. Sin ellas, el aspecto del planeta sería totalmente diferente y no existirían ni los animales ni los seres humanos. Los animales (incluso los carnívoros) necesitan a las plantas, porque éstas forman la base de todas las cadenas tróficas*.

Las plantas proporcionan el oxígeno y el agua necesarios para la vida, y sus raíces protegen el suelo. Sin ellas, la tierra acabaría siendo arrastrada hasta el mar. De las plantas se obtienen muchas cosas, desde madera a medicinas, tejidos y perfumes.

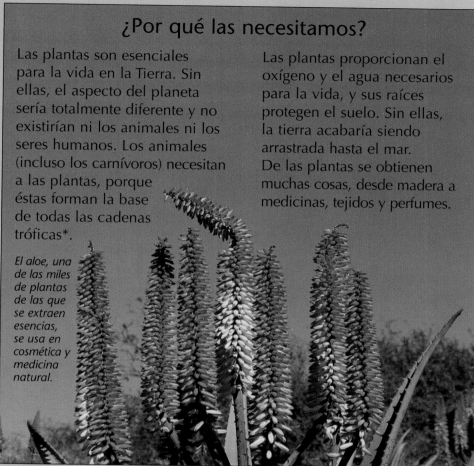

El aloe, una de las miles de plantas de las que se extraen esencias, se usa en cosmética y medicina natural.

Bebés de planta

Como todos los seres vivos, las plantas se reproducen (generan nuevos individuos). Para ello producen semillas, que suelen formarse dentro de las flores. Antes de caer al suelo y comenzar a desarrollarse, puede que el viento las arrastre muy lejos.

Tipos de plantas

Los distintos tipos de seres vivos se llaman especies. Existen millones de especies de plantas, desde flores diminutas hasta unos árboles enormes, llamados secuoyas gigantes, que son los seres vivos más grandes de la Tierra. Las especies están adaptadas a la vida en las distintas partes del mundo. Por ejemplo, en los desiertos, donde el agua escasea, los cactus desarrollan unos tallos muy gruesos para almacenarla.

Los girasoles contienen cientos de semillas; en España se comen y se conocen como pipas. Muchos tipos de semillas constituyen una importante fuente de alimento para animales y seres humanos.

EL REINO ANIMAL

En la Tierra hay miles de millones de especies de animales: insectos, peces, pájaros, reptiles, anfibios y mamíferos como los seres humanos. Al contrario que las plantas, los animales necesitan moverse para encontrar alimento y agua.

El pigargo americano es un carnívoro: su alimento principal son los peces, que atrapa lanzándose en picado sobre lagos y ríos.

La vida animal

Todos los animales necesitan comer para sobrevivir: los herbívoros comen plantas y los carnívoros devoran a otros animales. Los que se alimentan de ambas cosas, como los osos panda gigantes, se denominan omnívoros. Los seres humanos también son omnívoros.

El melífago es un herbívoro: se alimenta de néctar, un líquido dulce que se encuentra en las flores.

Muchos animales tienen que protegerse de los depredadores (animales que cazan a otros para devorarlos). Sus cuerpos han de adaptarse para ser muy veloces o para esconderse. Algunas especies, como las cebras, recurren al camuflaje: el color de su piel se confunde con el entorno para resultar menos visibles. Sin embargo, algunos depredadores también se camuflan y acechan a sus presas sin ser vistos.

Herramientas para comer

Los cuerpos de los animales están adaptados al tipo de dieta que llevan. Los herbívoros suelen tener los dientes planos y anchos para masticar plantas, mientras que la mayoría de los carnívoros tienen dientes afilados y mandíbulas fuertes para atrapar y despedazar a sus presas (los animales que devoran).

Fíjate en este cráneo de tejón con dientes largos y afilados, ideales para cortar la carne.

En este cráneo de corzo puedes observar unos incisivos largos para arrancar plantas y unos molares planos para masticarlas.

Selección natural

¿Por qué los animales y las plantas están tan bien adaptados a su entorno? Porque han ido evolucionado (cambiando gradualmente) para sobrevivir en el medio en el que viven.

En el siglo XIX, un científico llamado Charles Darwin (1809-1882) expuso una teoría que llamó "selección natural" para explicar la causa de esos cambios.

Según Darwin, algunos individuos de una especie desarrollan a veces unas cualidades especiales que les ayudan a sobrevivir. Por ejemplo, en un bosque verde, un insecto verde tendrá más posibilidades de sobrevivir que uno marrón, porque podrá camuflarse mejor en su entorno.

Los ejemplares que viven más tienen más descendencia, y ésta heredará esas cualidades tan útiles. Con el tiempo, cada especie desarrollará, generación tras generación, las mejores cualidades para sobrevivir en su hábitat.

Garras

Como es un depredador, el pigargo americano ha desarrollado cualidades para cazar mejor: buena vista, una gran técnica de vuelo y unas fuertes garras.

La respiración

Además de alimentarse, los animales necesitan respirar oxígeno, un gas que se encuentra en el aire y en el agua. Todos los animales absorben oxígeno, aunque de distintas maneras.

Agallas

Los peces tienen agallas que filtran el oxígeno del agua.

Espiráculo

Los insectos absorben el oxígeno a través de unos orificios diminutos en el cuerpo, llamados espiráculos.

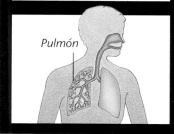

Pulmón

Los seres humanos y muchos otros animales tienen pulmones para extraer el oxígeno del aire.

Nuestros amigos

Los animales son muy útiles para los seres humanos. Nos proporcionan carne, leche, huevos, lana, seda, cuero y hasta medicinas. Muchos animales se crían en granjas, pero otros están en peligro de extinción por culpa de la caza excesiva del hombre. Si quieres saber más sobre especies en peligro, pasa a la página 103.

Los guanacos se cazan por su preciada lana.

LOS ECOSISTEMAS

El lugar donde vive una planta o un animal se llama hábitat. Los mares, ríos, montañas, bosques y desiertos son hábitats distintos. Un hábitat y la comunidad de plantas y animales que viven en él forman lo que se llama un ecosistema.

El búho nival y el lemming forman parte del ecosistema del Ártico.

Los carnívoros sobreviven devorando a otros animales que encuentran en su hábitat. Estos guepardos persiguen a una gacela de Thomson.

Redes tróficas

En un ecosistema se entrelazan muchas cadenas diferentes, formando un complicado sistema llamado red trófica, en la que los animales dan caza a unas especies y sirven de alimento a otras.

El siguiente esquema muestra parte de la red trófica del bosque de coníferas de un país del norte, como Canadá. Las flechas azules que salen de algunas especies apuntan a las que las devoran. Se trata de un diagrama simplificado, ya que en un ecosistema existen muchas más especies, y la red trófica completa no cabría en la página.

Cadenas tróficas

Los animales y las plantas de un ecosistema dependen unos de otros para alimentarse. Una especie es devorada por otra y ésta sirve a su vez de alimento a otra, formando una cadena trófica o alimentaria. Las plantas son el primer eslabón de esta cadena, porque producen su propio alimento gracias a la luz solar, en un proceso llamado fotosíntesis*. Los animales herbívoros comen plantas, y los carnívoros devoran herbívoros y también otros carnívoros.

Como en todos los ecosistemas, las plantas forman la base de esta red trófica.

*Fotosíntesis, 96; suelo, 112

¿Quién se come a quién?

Una red alimentaria tiene varios niveles tróficos. En cada uno hay distintos tipos de plantas y animales.

El Sol proporciona luz y energía a las plantas.

Consumidores terciarios
Animales que devoran a otros animales carnívoros.

Consumidores secundarios
Animales que devoran a animales herbívoros.

Consumidores primarios
Animales que se alimentan de plantas.

Productores
Plantas que usan la energía solar para fabricar alimento.

→ **Saprofitas**
Comen plantas y animales muertos y ayudan a que se descompongan en el suelo.*

El ciclo energético

Las plantas y los animales, al alimentarse, generan energía para crecer, moverse, calentarse, producir semillas o reproducirse. Cuando mueren, las saprofitas se encargan de descomponer sus cuerpos y así la energía vuelve al suelo en forma de sustancias químicas, que a su vez ayudan a las plantas a crecer. Así comienza de nuevo el ciclo.

Competencia

Cada tipo de planta o animal ocupa en su ecosistema un lugar único, llamado nicho, que sólo puede estar ocupado por una especie. Si dos especies distintas intentan ocupar un mismo nicho, tienen que competir por la comida. La especie más fuerte sobrevive y la otra muere o se traslada a otro hábitat.

En un ecosistema pueden sobrevivir especies distintas juntas, cada una con un tipo de alimento diferente. Por ejemplo, en la sabana africana, el elefante alcanza las ramas más altas de los árboles y arbustos, un pequeño antílope llamado gerenuk se alimenta de hojas que crecen más bajo, y el jabalí verrugoso se come la hierba del suelo. Como cada animal ocupa un nicho distinto, no compiten entre ellos.

Los biomas

En la Tierra hay varios tipos de climas o biomas, como las selvas o los desiertos. Un bioma contiene muchos ecosistemas, pero cada uno puede verse como un ecosistema enorme. Todos juntos, los biomas se combinan para formar el mayor ecosistema de todos: la Tierra.

La larga trompa del elefante le permite alcanzar las copas de los árboles para comer, mientras que otros animales se alimentan de hojas más bajas.

EL HOMBRE Y EL MEDIO

Al igual que la flora y la fauna de la Tierra, tú también formas parte de un ecosistema. Lo malo es que somos tantos seres humanos que necesitamos mucha más energía y generamos más desperdicios de los que nuestro ecosistema puede soportar.

Acabar con todo

Los primeros humanos estaban adaptados al ecosistema en que vivían, tomaban los alimentos disponibles y usaban la energía necesaria para sobrevivir.

Hoy en día usamos mucha más energía de la que realmente necesitamos, debido a los avances de la era moderna: fábricas, máquinas, aviones, coches, luz eléctrica. El hombre obtiene la mayor parte de la energía de combustibles fósiles*, lo que genera residuos gaseosos que no se pueden descomponer rápidamente y se acumulan de forma que contaminan nuestro medio ambiente.

Contaminación

Contaminación es cualquier residuo que la naturaleza no puede procesar y reciclar con facilidad. Los gases que expulsan los coches, el humo de las fábricas y los envases de plástico son contaminantes.

Hay tipos de contaminación muy peligrosos, como los humos acumulados que pueden producir asma, o los productos químicos de las granjas, que se filtran a los ríos y pueden matar a muchos peces, alterando la red trófica* local.

Los combustibles fósiles* contaminan porque, al quemarse, desprenden gases residuales.

Ecosistemas alterados

Cada una de las partes de un ecosistema depende de otras en un equilibrio natural. Si una parte resulta dañada o destruida, afecta a todas las demás.

Si las plantas de esta cadena trófica* fueran destruidas, los animales que siguen la cadena podrían morir.

*Cadenas tróficas, 100; combustibles fósiles, 24; redes tróficas, 100

La guerra del espacio

Nuestras granjas, ciudades, carreteras y aeropuertos ocupan un espacio que antes era el hábitat de plantas y animales. Los ecosistemas no funcionan sin su hábitat, y los animales y las plantas mueren. Cuando ocurre muy a menudo, algunas especies se extinguen, es decir, mueren todos sus miembros para siempre.

El dodo, un ave de las islas Mauricio, se extinguió en 1680 por culpa de la caza indiscriminada de los colonos holandeses.

Se han extinguido muchas especies: por ejemplo, el dodo, un ave no voladora. A veces los causantes son desastres naturales puntuales, como las erupciones volcánicas, pero suele ser un proceso gradual. Hoy en día, el hombre necesita tanto espacio que, por todo el mundo, se están extinguiendo especies mucho más rápido que antes.

Las principales causas de la extinción son la contaminación, la caza y la introducción de especies en hábitats distintos. Por ejemplo, varias especies de aves no voladoras fueron aniquiladas cuando el hombre llevó perros y gatos a Australia y Nueva Zelanda.

Los generadores eólicos convierten la energía del viento (energía eólica) en electricidad sin contaminar tanto como los combustibles fósiles.

La conservación del planeta

La conservación supone reducir el daño ocasionado a la Tierra y sus especies por culpa de la contaminación y otras actividades humanas. Se puede empezar por ahorrar energía, generar menos residuos y reponer el máximo posible de los recursos utilizados. Eso se llama desarrollo sostenible.

No podemos recuperar las especies que ya se han perdido para siempre, pero podemos proteger las que están en peligro de extinción. Los conservacionistas trabajan para salvar los hábitats naturales y proteger de los cazadores los animales salvajes en peligro, para que puedan reproducirse y evitar la extinción.

El leopardo de las nieves es una especie en peligro de extinción. Está protegido por la ley y se está criando en cautividad para intentar salvarlo.

LA POBLACIÓN

La población de un lugar es el número de personas que vive en él. La población mundial lleva miles de años creciendo y sigue haciéndolo en la actualidad. Hoy en día hay alrededor de 6.000 millones de personas en la Tierra.

En la ciudad de Nueva York, EE UU, viven más de 16 millones de personas. Más de un tercio de la población mundial vive en ciudades de más de 500.000 habitantes.

Especie dominante

El ser humano es la especie dominante en la Tierra. Nuestra inteligencia nos ha permitido cambiar el planeta para satisfacer nuestras necesidades y desarrollar la tecnología y la medicina para aumentar nuestra esperanza de vida. Por eso la población mundial sigue creciendo sin parar.

Esta gráfica muestra la población mundial desde el año 1000, y predice que ese crecimiento descenderá.

Cada año, el índice de natalidad (la cantidad de gente que nace) supera al de mortalidad. Algunos expertos afirman que la población mundial podría llegar a los 10.000 millones en el año 2050. Sin embargo, el crecimiento de la población está empezando a ralentizarse. Nadie sabe a ciencia cierta qué ocurrirá, pero la población de la Tierra podría dejar de crecer en los próximos doscientos años.

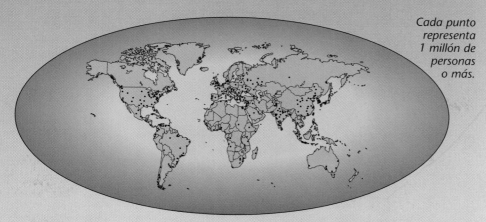

Cada punto representa 1 millón de personas o más.

Este mapa de distribución muestra las zonas con mayor densidad de población y las zonas más deshabitadas del mundo.

Control de la población

Algunos países intentan que sus habitantes tengan menos hijos, con el fin de detener el crecimiento de la población. En China, por ejemplo, sólo se permite a las parejas tener un hijo.

Este cartel de Singapur anima a las parejas a no tener más de dos hijos y a no tenerlos muy seguidos.

Superpoblación

Cuando la población de una ciudad crece demasiado rápido, puede no haber suficientes casas ni empleos para todas las personas que van a vivir allí. Esto hace que haya gente pobre y sin hogar, ya que la población crece más deprisa que la ciudad misma.

Cuando esto ocurre, hay gente sin dinero ni vivienda que se ve forzada a construir sus propias casas utilizando chatarra y desperdicios. En las afueras de grandes urbes como Lima (Perú), Bombay (la India) y São Paulo (Brasil) hay barrios enteros de estas casas improvisadas, llamadas chabolas.

Un barrio de chabolas en las afueras de Ciudad del Cabo, en Sudáfrica

CRÍA Y CULTIVO

La mayoría de los alimentos que tomas y muchas de las cosas que usas o llevas puestas provienen de la agricultura y la ganadería. El cuidado de animales y plantas para satisfacer las necesidades del hombre es la mayor industria del mundo.

Este gráfico muestra los usos de la tierra en el mundo. La ganadería utiliza más tierras que la agricultura, pero produce menos comida.

De todo un poco

La agricultura es el trabajo de la tierra para el cultivo, y la ganadería es la cría de animales para su aprovechamiento, aunque cuando se trata de aves se denomina avicultura.

Los granjeros, sean agricultores o ganaderos, se adaptan al tipo de tierra que tienen, al suelo y al clima. Sus explotaciones pueden ser muy pequeñas (del tamaño de un jardín), o enormes como los ranchos australianos para la cría de ovejas, que son tan grandes que sus propietarios los cruzan en avioneta.

Un suelo húmedo y un clima cálido son ideales para el arroz. En zonas accidentadas, los agricultores hacen terrazas o escalones de tierra para mantener el agua y el suelo. Estos arrozales están en China.

El yak está adaptado para la vida en la alta montaña. Los granjeros del Himalaya los crían por su leche y su lana.

La industria mundial

Cerca del 45% de los trabajadores del mundo se dedican a la agricultura y la ganadería. En lugar de obtener su propia comida, muchos producen cultivos industriales para su venta y exportación. Por eso, en muchos países se pueden comprar alimentos de todo el mundo en un mismo supermercado.

Las cosechas

Las cosechadoras-trilladoras se utilizan para recolectar todo tipo de cultivos y trabajan a gran velocidad. La que ves en la foto está cosechando trigo.

Alrededor del 11% de la tierra del mundo se dedica a la agricultura. Como es la mejor manera de obtener la mayor cantidad posible de comida del suelo, los países pobres suelen cultivar más las tierras que los países ricos. Plantar, cuidar y cosechar (recolectar) los cultivos cuesta mucho trabajo, pero muchos agricultores usan maquinaria.

Cuidar de los animales

Los animales, como los cultivos, necesitan muchos cuidados: alimento, agua, un techo, y protección contra los depredadores y las enfermedades. Los productos animales también se tienen que "cosechar": se ha de recoger su leche, lana o huevos, y se han de sacrificar para aprovechar su carne.

Los animales de granja suelen tener más de una utilidad, como por ejemplo producir lana o pieles además de carne. En muchos lugares trabajan arrastrando carros o maquinaria agrícola.

Los avestruces se crían en granjas para aprovechar su carne, huevos y piel; sus plumas se utilizan en accesorios de moda.

NUEVOS MÉTODOS

El objetivo de agricultores y ganaderos es sacar el máximo partido a sus tierras. Existen varias maneras de aumentar la producción (la cantidad de comida, o de otros productos, que se obtiene), pero a veces acarrean problemas.

En las granjas de agricultura intensiva se utilizan helicópteros como éste para fumigar los cultivos con fertilizantes y pesticidas.

Siempre lo mejor

Un elemento muy importante es la mejora selectiva de las especies, que consiste en la elección y desarrollo de las mejores especies para su máximo aprovechamiento. Por ejemplo, el trigo era un tipo de hierba silvestre llamada esprilla.

Los primeros agricultores replantaron las que tenían las semillas más grandes, porque así producían más comida. Poco a poco, la esprilla fue convirtiéndose en el trigo actual, con muchas semillas grandes en cada tallo. Los animales se desarrollan de la misma manera, seleccionando las razas con cualidades más útiles.

Trigo actual

Una hierba llamada esprilla, que se convirtió en el trigo actual

Los cerdos de granja actuales, como la raza Landrace (derecha), son descendientes del jabalí (abajo).

El viento puede arrastrar algunos de los productos químicos que usan los agricultores, afectando a otras áreas.

Técnicas intensivas

La agricultura y la ganadería intensiva supone el uso de productos químicos y tecnología para sacar el máximo provecho de la tierra. Los cerdos y las gallinas criados de forma intensiva viven en corrales o jaulas pequeñas para ahorrar espacio. Se les da agua y comida de forma automática, e incluso productos para que crezcan más rápido. De esta forma se puede aumentar la producción, pero los productos químicos que se utilizan pueden ser contaminantes.

Este helicóptero está equipado para fumigar con productos químicos.

La agricultura ecológica

La agricultura ecológica supone cultivar sin utilizar productos ni procesos químicos artificiales. Se usa estiércol animal o abono vegetal en lugar de fertilizantes artificiales, y a los animales no se les dan productos para hacerlos crecer más rápido. Los alimentos ecológicos son más caros porque, al no utilizar productos químicos artificiales, las enfermedades son más difíciles de controlar y la productividad es menor. Sin embargo, existe una fuerte demanda de productos ecológicos porque la gente se preocupa más por su salud, la contaminación y el bienestar de los animales.

Mucha gente opina que la cría intensiva de animales es cruel, porque se crían en condiciones antinaturales. También se venden productos de animales "de campo", que viven en condiciones más naturales.

Guerra sin cuartel

Los insectos y otros parásitos que se alimentan de las cosechas pueden ser un grave problema. En la explotación intensiva se fumigan los cultivos para matar a los insectos, pero en la ecológica no se utilizan insecticidas químicos. En su lugar se cambia el ecosistema* de los campos introduciendo una especie que se alimenta de los insectos que causan la plaga.

Estos diminutos afídidos dañan muchos cultivos. En lugar de fumigar, algunos agricultores introducen otras especies para que devoren a estos seres perniciosos.

Las gallinas de granjas avícolas intensivas viven en pequeñas jaulas y se les alimenta con máquinas. Los huevos caen en una bandeja y pasan a una cinta transportadora.

Guijarros en una playa de Oregón, EE UU

EL CICLO GEOLÓGICO

EL SUELO

El suelo cubre la mayor parte del planeta que no está sumergida. Se compone de partículas de roca y minerales, plantas muertas y materia animal, organismos diminutos, gases y agua. El suelo es vital para la vida en el planeta, porque proporciona el alimento y las condiciones que las plantas necesitan para crecer.

Al hacer agujeros en el suelo, las lombrices arrastran hojas muertas y materia orgánica al subsuelo, donde se descomponen formando mantillo o humus.

¿De qué está hecho?

El suelo está formado por partículas de roca y minerales, que son fragmentos de rocas más grandes. Hay desde piedras enormes a partículas minerales diminutas que se disuelven en el suelo por acción del agua. Algunos de esos minerales, llamados nutrientes, sirven de alimento a las plantas.

Además, en el suelo hay materia orgánica, procedente de plantas y animales muertos. Al morir, los organismos diminutos, bacterias y hongos del suelo los descomponen hasta formar una sustancia llamada humus, que es lo que hace que la tierra sea rica y fértil (un buen sitio para que crezcan las plantas).

Los seres vivos, como las bacterias y los hongos, son una parte vital del suelo. Si no se encargaran de descomponer las plantas y los animales muertos, sus restos se acumularían sobre la superficie terrestre.

En el suelo también hay espacios donde se almacenan gases y agua. El agua proviene de la lluvia, y los gases, del aire y de las plantas y los animales muertos. Las plantas absorben agua y gases con las raíces.

La tijereta es una de las miles de especies de insectos y otros animales diminutos que viven en el suelo.

Las capas del suelo

Al hacer un corte en el suelo, se pueden observar sus distintas capas, llamadas horizontes.

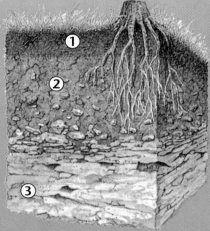

① *El horizonte A o estrato superior se compone sobre todo de mantillo, y en él viven gran cantidad de seres vivos.*

② *El horizonte B está formado por mantillo (humus), rocas y minerales. Las grietas y los poros que hay en él permiten que el agua se filtre y no haya demasiada humedad.*

③ *La roca madre es la capa más profunda, formada por la roca que hay bajo el suelo.*

Tipos de suelo

Existen miles de tipos distintos de suelo. Unos son más fértiles que otros, pero en casi todos crecen plantas. Los agricultores deciden lo que quieren cultivar en función del tipo de suelo.

En general, los suelos tienen tres texturas: arenosa, limosa y arcillosa. El suelo arenoso es rugoso y granular. Las partículas de limo son tan pequeñas que es difícil distinguirlas, y la arcilla está formada por partículas muy finas que, cuando se mojan, forman un barro denso y viscoso. La arcilla se usa para hacer cerámica y porcelana.

Esto es una chirivía, cuya raíz busca agua y minerales en el suelo. La chirivía crece muy bien en suelos arenosos y arcillosos.

Esta mano contiene suelo arenoso. Su textura granular permite que la humedad se filtre con facilidad.

Un puñado de suelo fértil contiene hasta 6.000 millones de bacterias.

Esta mano contiene suelo franco. Es muy fértil, y consiste en una mezcla de suelo arcilloso y arenoso.

EL CUIDADO DEL SUELO

Debemos cuidar el suelo porque la contaminación, la agricultura y la tala de árboles lo dañan y acaban alterando su equilibrio natural. Si queremos seguir utilizándolo como fuente de alimento, tenemos que protegerlo y devolverle las sustancias químicas que le arrebatamos.

Este agricultor de Minnessota, EE UU, está cargando estiércol para usarlo como abono.

El ciclo del suelo

En su estado natural, el suelo forma parte de un ciclo continuo. Los minerales se disuelven gradualmente en el suelo. Las plantas y los animales muertos caen, se pudren y se descomponen, formando humus*. Los minerales y el humus proporcionan nutrientes (alimento) a las plantas, y el ciclo comienza de nuevo, porque los nutrientes que se sacan del suelo vuelven a él.

Sin embargo, cuando las tierras se cultivan, las cosechas se recogen para su venta en lugar de pudrirse sobre el suelo, y éste pierde su fertilidad* a medida que pierde sus nutrientes.

Los fertilizantes

La mejor manera de sustituir los nutrientes del suelo es añadirle un fertilizante o abono. Los fertilizantes contienen sustancias químicas, como los nitratos, que las plantas necesitan para crecer. El estiércol (excrementos de animales) es un abono natural, pero muchos agricultores utilizan fertilizantes químicos artificiales. Si se abusa de ellos, pueden filtrarse a través del suelo y llegar a contaminar los ríos.

La rotación de cultivos

La rotación de cultivos significa cambiar anualmente lo que se planta en una parcela. Esto ayuda a conservar la fertilidad del suelo, sobre todo si se deja la tierra en barbecho, o sea, si no se siembra durante una o más temporadas. Otra opción es dejar que las cosechas se pudran sobre la tierra para devolver los nitratos. El trébol y las legumbres son buenos para tal fin.

En la foto puedes ver una cosecha de la que se obtendrá aceite vegetal y forraje para animales. Este cultivo se rota con otros para cuidar la tierra.

*Fértil, 112; humus o mantillo, 112; terrazas, 106

La erosión del suelo

En un medio natural, las plantas y los árboles protegen el suelo, evitando que lo arrastre la lluvia o el viento. Como los agricultores tienen que labrar la tierra para plantar sus cosechas, el suelo queda sin defensas ante los fenómenos meteorológicos, acelerando la erosión.

Esto mismo ocurre cuando se talan los árboles para usarlos como leña o simplemente para despejar tierras de cultivo, sobre todo en las laderas de las montañas. Sin árboles que lo protejan, el viento y la lluvia arrastran el suelo, cosa que ha provocado la desaparición de bosques enteros. Sin embargo, existen maneras de proteger el suelo.

Al talar los árboles, el suelo de esta colina podría verse arrastrado por la lluvia y el viento.

Este cultivo de cobertura protege el suelo entre hileras de árboles del caucho, lo que permite a los agricultores tener dos cultivos distintos en la misma parcela.

En algunos lugares, los agricultores cultivan la tierra entre los árboles. Si quedan algunas áreas de suelo vacías, se puede plantar lo que se llama un cultivo de cobertura para paliar la erosión. Cuando hay colinas, se forman terrazas* para mantener el suelo en su lugar.

Tierras perdidas

Los restos antiguos nos muestran que en el pasado hubo grandes ciudades en algunos lugares que ahora son desiertos, como ciertas zonas de Egipto y Arabia Saudí.

Estas vasijas de cerámica, de 7.000 años de antigüedad, pertenecen a una antigua civilización llamada Mesopotamia. El área donde se encontraron es ahora un desierto.

Puede que las gentes que vivieron allí no supieran cuidar del suelo y evitar así la erosión. Este hecho quizá provocara el fin de su civilización.

LA METEORIZACIÓN

Las rocas que forman la superficie de la Tierra sufren un desgaste continuo debido a la acción de los elementos y de los seres vivos. Este proceso se llama meteorización.

Tipos de meteorización

Existen dos tipos principales de meteorización. La meteorización química ocurre cuando las sustancias químicas y ácidos que contiene el agua de lluvia disuelven gradualmente la roca. La meteorización física hace que las rocas se fragmenten en láminas, bloques o gránulos, y suele deberse a condiciones extremas de frío o de calor.

Lluvia corrosiva

El agua de lluvia es el principal causante de la meteorización química. El agua absorbe gases del aire y el suelo y forma un ácido muy suave que corroe algunas rocas. Esto hace que aparezcan grietas y orificios que dejan entrar más agua, con lo cual el efecto es aún mayor.

Rocas rotas

El calor hace que la mayoría de sustancias se dilaten. El calor del Sol hace que las rocas se calienten y se dilaten. Al caer la noche, se enfrían y se contraen. La capa exterior de la roca se dilata más, porque recibe de lleno los rayos solares, y acaba separándose de la roca. Eso se llama descamación.

Otro tipo de meteorización es la gelivación, que se da cuando el agua se introduce por las grietas de una roca y al congelarse se dilata.

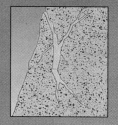 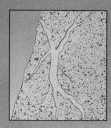 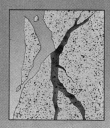

El proceso de gelivación comienza cuando el agua se cuela en una pequeña grieta de una roca.

El agua se congela, se dilata y ensancha la grieta. Al fundirse el hielo, permite la entrada de más agua.

Las subidas y bajadas de temperatura van ensanchando la grieta hasta que la roca se fragmenta.

Meteorización biológica

La meteorización que causan las plantas y los animales se denomina meteorización biológica. Los líquenes, por ejemplo, son organismos que crecen en la roca y liberan unas sustancias químicas ácidas que corroen su superficie. Las madrigueras de algunos animales y las raíces de los árboles también contribuyen a fragmentar rocas.

Esta roca está corroída por el agua y, además, está siendo "devorada" por líquenes (las zonas rojizas que tiene en la superficie).

Paisajes esculpidos

Como algunas rocas son más duras y resistentes a la meteorización que otras, su desgaste es desigual. Las más duras persisten y sobresalen en forma de afloramientos o de largas crestas. Con el paso del tiempo, la meteorización puede darle formas asombrosas, descubriendo picos y excavando cuevas en la roca caliza*.

Esta cueva se ha formado por efecto de la meteorización química, porque el agua ácida corroe las grietas de la roca.

LA EROSIÓN

Se puede saber la antigüedad de una montaña por lo desgastada que está.

La erosión ocurre cuando el viento, el agua y la gravedad arrastran las partículas de roca y suelo que se han desgastado por efecto de la meteorización*. Poco a poco, el material erosionado llega a los ríos, y suele acabar en el mar.

El K2, en el Himalaya, mide 8.611 m de altura. Es relativamente joven y aún tiene picos puntiagudos.

El monte Baker, en Washington, EE UU, mide 3.285 m de altura. Tiene una forma más aplanada y desgastada, lo que indica que es más antiguo.

Viento y lluvia

Durante cientos de años, el viento azota la superficie de las rocas, llevándose partículas diminutas. Muchas rocas contienen minerales distintos con durezas diferentes, por lo que el viento los desgasta de forma desigual.

La lluvia que cae sobre las rocas y el suelo arrastra partículas más grandes hasta los ríos. Los agricultores han de proteger el suelo* para evitar que la lluvia lo arrastre.

Las estrías que ves en estos picachos de Arizona, EE UU, se han ido formando por efecto del viento.

Un proceso constante

En las montañas, las partículas de roca y suelo se ven arrastradas hacia abajo por la fuerza de la gravedad. Los fragmentos de roca que se rompen cerca de la cima de una montaña caen por las laderas, rompiendo otras rocas a su paso. A menudo se forma en la base de las montañas una acumulación de piedras sueltas llamada canchal.

Los seres humanos también erosionamos. A veces, los escaladores provocan desprendimientos de rocas, y los excursionistas desgastan poco a poco los caminos de montaña.

Desgaste y renovación

La erosión arrastra las partículas de roca y de suelo desde la tierra hasta el mar, por lo que la superficie terrestre debería ser cada vez más llana y tener menos altura. Sin embargo, se forman nuevas islas y montañas debido a la erupción de los volcanes* y a la colisión de las placas tectónicas*. Así, aunque se desgasta la tierra más antigua, surge tierra nueva para reemplazarla.

Esta foto muestra una ladera sin vegetación tras un corrimiento de tierras en EE UU.

Los corrimientos de tierra

Un corrimiento de tierras se produce cuando una masa de tierra y rocas cae súbitamente por una ladera empinada. Una de las peores ocurrió en 1903, cuando más de 30 millones de metros cúbicos de rocas se desprendieron del monte Tortuga, en Canadá, y cayeron sobre un pueblo llamado Frank, ocasionando 70 víctimas. Los corrimientos de tierras suelen deberse al agua de lluvia que se filtra en el suelo y aumenta su peso. Estos accidentes son más comunes cuando el agua se filtra en una capa de pizarra (un tipo de roca resbaladiza hecha de arcilla comprimida). Todo lo que hay encima de esta capa puede ir montaña abajo.

Un freno a la erosión

La erosión es un proceso natural y es imposible evitarla por completo, pero en algunos lugares podemos intentar que no avance tan rápido.

En las montañas muy visitadas, los caminos de piedra o de madera ayudan a evitar el desgaste de la tierra. En zonas montañosas, los árboles ayudan a mantener el suelo en su sitio y así evitar corrimientos de tierras. Por eso la gente ha aprendido a no talar los árboles de las laderas de las montañas.

Un trabajador planta vegetación para evitar la erosión cerca de una carretera.

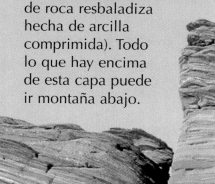

LOS RÍOS Y LOS MARES

LOS RÍOS

El agua de los ríos proviene de la lluvia, la nieve y el deshielo de las montañas y los glaciares, y también del agua que hay en el subsuelo, llamada agua subterránea. Los ríos transportan el agua hasta su desembocadura en lagos y mares.

Los hipopótamos viven en los ríos lentos y fangosos de África. Este hipopótamo sirve de lugar de descanso para una garceta.

El curso del río

Un río va cambiando a medida que sigue su curso ladera abajo. El nacimiento suele encontrarse en zonas montañosas, donde la lluvia y el agua del deshielo forman torrentes de agua clara y pendiente pronunciada. En esta parte, llamada curso alto, la corriente es fuerte, y las plantas y animales tienen que agarrarse a las rocas o nadar contra corriente para no ser arrastrados.

Cuando los torrentes llegan a los valles, comienzan a unirse. Los arroyos y ríos menores que desembocan en otro río más ancho y caudaloso se llaman afluentes. En el llamado curso medio el agua no está tan fría y fluye más despacio, y por eso hay muchos seres vivos. A medida que la pendiente se suaviza y el río llega a su curso bajo, comienza a formar meandros o curvas muy amplias.

Finalmente, el río se ensancha formando un estuario, o se divide en una red de canales llamada delta*, que llega hasta el mar (o a un lago). Esta parte del río se llama desembocadura.

Las larvas de la mosca de las piedras viven en los torrentes de montaña agarrándose a las rocas con sus patas para no ser arrastradas por la fuerte corriente.

Los torrentes de montaña, como este de Connecticut, EE UU, forman series de pequeñas cascadas al bajar por las laderas rocosas.

Drenaje

El área donde el río recoge agua se denomina cuenca de drenaje. La erosión de los canales que constituyen las redes de drenaje forma patrones distintos según el relieve de la zona y el tipo de roca que hay en ella.

Cuando sólo hay un tipo de roca se forma un patrón como éste, con aspecto de árbol, que se llama red de drenaje dendrítica.

Récords fluviales

Meandros del río Manú, un afluente del Amazonas que atraviesa la selva tropical de Perú

El río más largo del mundo es el Nilo, que está en África y mide más de 6.600 km desde su nacimiento en Burundi hasta su delta, en Egipto, donde desemboca en el Mediterráneo. Sin embargo, el río más caudaloso (el que lleva más agua) es el Amazonas, que está en América del Sur. Tiene una longitud de unos 6.440 km y atraviesa el continente de oeste a este. Cada segundo aporta 94 millones de litros de agua al Océano Atlántico, y su desembocadura tiene 240 km de ancho.

El cocodrilo del Nilo acecha a su presa nadando sigilosamente con la mayor parte de su cuerpo sumergido.

LA EROSIÓN FLUVIAL

Los ríos pueden disolver la roca y transportar piedras enormes a cientos de kilómetros de distancia. Con el paso del tiempo, la erosión fluvial puede crear gargantas y cataratas, y arrastrar grandes cantidades de rocas, arena, tierra y barro al mar.

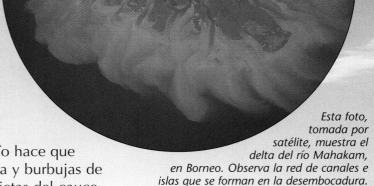

Esta foto, tomada por satélite, muestra el delta del río Mahakam, en Borneo. Observa la red de canales e islas que se forman en la desembocadura.

Los efectos de los ríos

El agua arrastra la tierra, la arena y las piedras que encuentra a su paso. Con el movimiento van horadando el lecho del cauce, haciéndolo más ancho y profundo. Como también chocan entre ellas, van desgastándose y rompiéndose en fragmentos más pequeños.

Además, el río hace que penetren agua y burbujas de aire en las grietas del cauce, separando más fragmentos de roca y tierra. Otro factor erosivo es la ligera acidez del agua (ya que proviene de la lluvia*), que va disolviendo algunos tipos de roca.

El agua del río va puliendo y redondeando las rocas.

Sedimentación

Cuando un río llega a un terreno más llano y fluye más lentamente, comienza a depositar algunas de las piedras y partículas que arrastra. Primero se depositan las piedras de mayor tamaño, y luego comienzan a depositarse otros sedimentos como arena, tierra y barro. Por eso el fondo de los ríos anchos es tan fangoso. Cerca del mar, los sedimentos pueden incluso formar islotes. El río se divide y forma una red de canales llamada delta, mientras que el resto de sedimentos cae al mar y va acumulándose en el fondo.

Cambio de curso

Los ríos fluyen con más rapidez en la parte exterior de una curva o meandro* que en la interior, por lo que esa parte se erosiona gradualmente mientras en la parte interior se van depositando sedimentos. Así, el meandro se hace cada vez más largo y estrecho, hasta que el río acaba enderezando su curso. Poco a poco, la entrada del meandro se va tapando con sedimentos y deja un lago de herradura o de meandro abandonado.

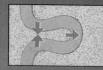

El río erosiona la parte exterior de la curva y deposita sedimentos en el interior, formando un meandro.

El meandro se va haciendo más largo y estrecho, hasta que el río acaba abriéndose paso.

El río va llenando de fango la entrada al meandro, hasta que lo cierra.

El meandro acaba aislado y forma un lago de herradura.

La Herradura forma parte de las cataratas del Niágara, una cascada inmensa situada en la frontera entre Canadá y EE UU. La catarata avanza hacia atrás unos 3 metros al año.

Cataratas

Las cataratas se forman cuando el agua de un río fluye de una zona de roca dura a otra de roca blanda. El río desgasta con más rapidez la roca blanda y forma un saliente. El agua que cae va socavando el fondo y acaba creando un hueco. Por acción del agua y las rocas que van cayendo al hueco, el saliente se va desgastando por la parte inferior hasta que la superior se derrumba. Con el tiempo, la catarata retrocede y crea gargantas.

Este esquema muestra cómo se forma una catarata.

La catarata va retrocediendo.

El agua va socavando la roca blanda del fondo.

Roca dura

Zona de impacto

Roca blanda

La fuerza del agua socava esta parte.

USOS DE LOS RÍOS

Los ríos son muy importantes en el desarrollo de la civilización humana. Se han utilizado desde hace miles de años para beber, lavar y como ruta de transporte. La agricultura y la industria dependen de sus aguas, y podemos transformar en energía la fuerza de su caudal.

Este grabado muestra la capital de Inglaterra, Londres, en 1631. Fíjate en los grandes barcos mercantes que navegaban por el río Támesis.

Pese a no estar en la costa, Amsterdam (Holanda) es un puerto muy importante, con más de 80 km de canales que dividen la ciudad en islas.

Los puertos fluviales

Un puerto es un lugar en el que los barcos cargan y descargan mercancías. Cuando el transporte internacional se hacía por mar, muchos grandes puertos, como el de Montreal (Canadá), Manao (Brasil) y Londres (Inglaterra), prosperaron junto a ríos navegables. Un río navegable es aquel que, por su anchura y profundidad, permite el paso de barcos.

Los canales

Un canal es un cauce artificial construido para sustituir o ampliar una red fluvial. Los canales de irrigación llevan el agua de los ríos a las tierras de regadío, y los canales navegables se construyen para las embarcaciones. Por ejemplo, el canal de Suez une el mar Mediterráneo con el mar Rojo, a modo de atajo para que los barcos pasen de Europa al océano Índico.

Al contrario que los ríos naturales, los canales no cambian su curso con el paso del tiempo. Sufren menos erosión* que los primeros, porque sus cauces y orillas suelen estar hechos de ladrillos o de cemento, que se desgasta menos que la roca o el suelo natural. A veces, sobre todo en ciudades, las orillas de los ríos naturales se refuerzan con estos materiales para evitar la erosión.

*Erosión fluvial, 124

Energía limpia

La energía eléctrica que se obtiene del agua se llama energía hidroeléctrica. Las centrales hidroeléctricas suelen consistir en una presa construida en un río, que crea un enorme embalse. A través de conductos estrechos, se liberan chorros de agua a elevada presión, que accionan unas turbinas y generan electricidad.

La energía hidráulica es cada vez más importante. Al contrario que los combustibles fósiles, es renovable (no se agota) y apenas contamina. Sin embargo, los embalses hidroeléctricos causan problemas cuando inundan las tierras, o si se derrumban.

Presas peligrosas

Los restos de la presa de Malpasset, en Francia, que reventó en 1959.

En el pasado, varias presas han provocado catástrofes al romperse o desbordarse. Un ejemplo es la presa de Malpasset, en Fréjus (Francia), que se derrumbó en 1959, causando una inundación que acabó con más de 500 vidas. El desastre ocurrió porque la presa se había construido sobre esquisto, una roca que se agrieta con facilidad.

Esta pequeña rueda hidráulica genera electricidad para una zona rural del estado de Washington, en EE UU.

La energía hidráulica

La energía que tiene un río puede transformarse en electricidad o en otras formas de energía. Los sistemas más primitivos aprovechaban los ríos o arroyos para hacer girar una rueda hidráulica. La potencia de la rueda al girar se usaba, por ejemplo, para producir harina en molinos. Estas sencillas ruedas siguen utilizándose en muchos países.

Vista parcial de la presa hidroeléctrica de Shasta, en California (EE UU). Los desaguaderos como el de la foto liberan el agua para evitar que la presa se desborde.

EL AGUA DEL SUBSUELO

El agua no sólo fluye por encima de la superficie terrestre, sino que también lo hace por debajo. Además de los ríos y lagos, existe un volumen enorme de agua, llamada agua subterránea, almacenada en rocas y cuevas del subsuelo.

El agua mineral y de manantial embotellada es una industria importante en algunas zonas.

El agua subterránea

Muchos tipos de rocas, al ser porosas, pueden absorber y almacenar agua como si fueran esponjas. El agua subterránea proviene de agua de lluvia que se filtra a través del suelo y es absorbida por una capa de roca porosa, como la arenisca.

El agua subterránea desciende hasta encontrar una capa de roca impermeable que no le permite pasar, y las rocas porosas se llenan de agua. El nivel máximo que alcanza el agua se denomina nivel freático.

Los acuíferos son capas de roca porosa capaz de almacenar agua. Algunos tienen una extensión de miles de kilómetros bajo la superficie. En muchos lugares son una fuente muy importante de agua potable.

Cuando un acuífero sale a la superficie, puede formar ríos, lagos y manantiales.

Los manantiale[s]

Los manantiales sor flujos naturales de agua que surgen c la tierra. Se forma cuando una cap roca porosa lle[na] agua sale a la superficie, sob todo en las la[deras] de las montañ[as] agua subterráne[a] de la roca y forma u pequeña charca o un arr[oyo]

El agua de manantial suele limpia y cristalina, porque ha filtrado a través de vari capas rocosas. A veces, el disuelve minerales de las y algunos de ellos se cons[ideran] beneficiosos para la salu[d]

Un manantial surge cuando la roca empapada sale a la superfic[ie]

La lluvia y la nieve se filtran por la roca porosa.

Ríos de montaña

Nivel freático

Roca empapada

Acuífero (roca porosa)

Lago

Roca impermeable

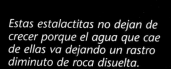

Ríos bajo tierra

Además de almacenada en rocas, el agua subterránea puede encontrarse en forma de ríos, cataratas e incluso lagos enormes hallados en cuevas y túneles. Éstos suelen formarse en roca caliza, ya que se trata de una clase de roca que se disuelve con facilidad. El agua, al introducirse por las grietas de este tipo de roca, la disuelve en un proceso llamado meteorización química*, y excava cuevas y canales subterráneos.

Estalactitas y estalagmitas

En los techos de algunas cuevas hay una especie de carámbanos de piedra, llamados estalactitas, y otros que salen del suelo, llamados estalagmitas. Se forman cuando el agua con minerales disueltos gotea del techo de la cueva. Cada gota que cae deja un diminuto rastro de piedra. Con el tiempo, estos rastros se acumulan y adquieren formas alargadas. Cuando las gotas caen al suelo, se depositan más minerales, que acaban convirtiéndose en estalagmitas.

Estas estalactitas no dejan de crecer porque el agua que cae de ellas va dejando un rastro diminuto de roca disuelta.

En el interior de esta cueva mexicana, o cenote, el agua ha formado unas estalactitas larguísimas y un lago subterráneo.

*Meteorización química, 116

RÍOS DE HIELO

Un glaciar es una enorme masa de hielo que se mueve en sentido descendente, formando una especie de río helado que fluye con gran lentitud. Su solidez hace que moldeen el terreno sin dificultad, excavando profundos valles en forma de U al tiempo que arrastran tierra y rocas a su paso.

Un glaciar del parque nacional de Glacier Bay, en Alaska, EE UU

Fuerza helada

Un glaciar es algo muy pesado y poderoso. A medida que avanza, el hielo y las rocas que transporta desgastan el suelo y las piedras del valle, tanto en los laterales como en el fondo, excavando un canal muy profundo. Cuando el hielo se funde, se depositan gran cantidad de materiales acumulados llamados morrenas. Los glaciares también desplazan enormes cantos rodados, denominados erráticos, que acaban en el fondo del valle.

¿Cómo se forma un glaciar?

Los glaciares se encuentran en regiones muy frías, como las montañas altas. En la parte alta del glaciar, llamada zona de acumulación, la nieve se deposita y se hace compacta hasta formar una masa dura de hielo sólido. A medida que cae más nieve, el hielo se acumula y se hace más pesado, hasta que desciende por la ladera.

A medida que la lengua de hielo desciende, hace menos frío porque la temperatura del aire* es mayor a menor altura. En la zona de deshielo, llamada zona de ablación, el hielo se transforma en un agua gélida que va a parar a los ríos.

La nieve cae aquí.

Zona de acumulación

Cuando el glaciar pasa por montículos y esquinas, pueden aparecer grietas en su superficie.

Los erráticos desgastan el suelo y hacen hendiduras en las rocas.

Zona de ablación

Aquí se derrite el glaciar.

Este esquema muestra las distintas partes de un glaciar y su manera de avanzar.

Restos de glaciares

Si el clima se vuelve más cálido, un glaciar puede derretirse y dejar un valle glaciar, que se identifica por su forma de U, profunda y redondeada. También hay otros indicios, como la existencia de tillitas o restos de antiguas morrenas, erráticos y *drumlins* (lomas alargadas). A veces, muy por encima del valle principal, quedan valles colgantes que una vez desembocaron en el glaciar.

En las costas, algunos valles glaciares se han visto inundados por agua de mar. Estos estrechos brazos de mar se llaman fiordos.

Este diagrama muestra algunas de las características que te ayudarán a reconocer un valle glaciar. Cuando el agua de mar los inunda, como en este caso, se llaman fiordos.

Los valles menores, que desembocaban con anterioridad en el glaciar, quedan por encima del valle principal. Se llaman valles colgantes.

Un valle glaciar con forma de U

Los glaciares también depositan pedruscos llamados erráticos.

Los drumlins son colinas romas y alargadas, formadas por antiguas morrenas.

Plataformas de hielo

No todos los glaciares se forman en las montañas, sino también en lugares muy fríos cerca de los polos, como Groenlandia y la Antártida. En estas zonas el hielo se acumula en enormes placas llamadas plataformas o barreras. El hielo se va acumulando en el centro y va desplazándose hacia los extremos. Las partes que llegan al mar pueden romperse y formar icebergs.

Los icebergs flotan libremente por el océano y se van derritiendo a medida que atraviesan aguas más cálidas.

*Temperatura del aire, 57

LA LÍNEA COSTERA

La costa, la frontera entre la tierra y el mar, está en constante transformación por efecto de las olas. Las subidas y bajadas de la marea hacen que el medio costero esté siempre cambiando y las especies que lo habitan han de estar adaptadas a esos cambios.

Las olas

Las olas se forman mar adentro y cruzan el mar empujadas por el viento. Aunque viajan por el agua, no la desplazan hacia delante, sino que hacen que sus partículas se muevan en círculos bajo la superficie. Cuando una ola alcanza aguas poco profundas, esos círculos se interrumpen y la ola rompe.

Mar adentro, el viento provoca olas en la superficie del agua.

Las olas hacen que las partículas de agua se muevan en círculos bajo la superficie.

En una playa con poca pendiente y escasa profundidad, las olas rompen antes de la orilla.

Si la costa tiene mayor pendiente, las olas rompen y llegan con fuerza a la playa.

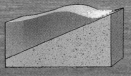

Si la pendiente es muy pronunciada, las olas no rompen, sino que se elevan y retroceden.

La erosión costera

Este arco está en Dorset, Inglaterra, y se ha formado con el paso del tiempo debido a la acción destructiva de las olas. Comenzó siendo un saliente con cuevas en ambos lados, que la fuerza de las olas fue erosionando hasta crear un arco.

Las olas que rompen contra la orilla se llaman olas destructivas, porque poco a poco desgastan o erosionan la costa. Cuando rompen en la playa arrastran arena, guijarros y otros materiales. Al romper contra acantilados rocosos, lanzan estos materiales contra la roca y la desgastan. Las olas hacen que entre agua y aire en las grietas de las rocas, excavando cuevas.

Las olas destructivas erosionan la costa en grados diferentes. La roca blanda se desgasta con bastante rapidez y forma bahías curvadas, pero la roca dura resiste, formando acantilados y salientes rocosos. A veces se forman cuevas a ambos lados de un saliente, y el mar acaba abriéndose paso, formando un arco o puente. Éste puede derrumbarse y dejar una torre rocosa llamada farallón.

*Mareas, 149

Las playas

Las olas destructivas desgastan parte de la costa, pero otras, llamadas olas constructivas, acumulan sedimentos en la orilla, formando playas. Cuando una ola rompe suavemente en una costa con poca pendiente, pierde velocidad y energía. Al hacerlo, deposita los materiales que pueda transportar, como guijarros y granos de arena desprendidos previamente de acantilados y orillas rocosas. Con el tiempo, estos sedimentos se acumulan y forman una playa.

Las piedras y los guijarros que hay en el mar están pulidos y redondeados por la fuerza de las olas.

Las mareas

Las mareas* se deben al poder de atracción de la Luna sobre el agua del mar. Por eso hay marea alta en las zonas de nuestro planeta más cercanas a la Luna cuando ésta gira alrededor de la Tierra. Suele haber dos mareas altas al día.

Las especies que viven en la orilla tienen que sobrevivir bajo el agua durante la marea alta o pleamar, y en contacto con el aire durante la marea baja o bajamar. Además, han de arreglárselas para no verse aplastadas contra las rocas o arrastradas por las olas.

Los cangrejos pueden respirar tanto dentro como fuera del agua. Tienen un caparazón duro que los protege y se entierran en la arena para esconderse de los depredadores.

Las costas

Con el paso de los años, la acción del mar cambia la forma de las costas porque acumula sedimentos en unas zonas y desgasta otras. A veces, las construcciones que hay junto a la costa se derrumban por efecto de la erosión del mar sobre el suelo.

Por ejemplo, la costa de Holderness, en Lincolnshire (Inglaterra), se ha desgastado con mucha rapidez. Más de 50 pueblos costeros, que constaban en un registro nacional de poblaciones del año 1086, han desaparecido por efecto de las olas.

MARES Y OCÉANOS

Más de dos terceras partes de la superficie terrestre están cubiertas de agua salada. Como los cinco océanos y los distintos mares que hay en la Tierra están todos conectados, el agua fluye libremente entre ellos. Los mares y los océanos, así como los seres que los habitan, todavía ocultan muchos misterios.

La maragota es un pez que se encuentra principalmente en las orillas rocosas de Europa.

Bajo el agua

Junto a la costa, el lecho marino va descendiendo suavemente, formando la llamada plataforma continental. Al borde de esta plataforma existe una pendiente muy pronunciada llamada talud, que llega hasta la parte más profunda del fondo oceánico: la llanura abisal.

Mapa en tres dimensiones de una parte del fondo del océano Atlántico.

En la llanura abisal hay valles, colinas, montañas e incluso volcanes. También hay dorsales oceánicas*, que aparecen cuando surgen rocas nuevas del interior de la Tierra. En las zonas de subducción se forman las fosas oceánicas*.

Exploradores marinos

Los oceanógrafos (científicos que estudian el mar), pueden conocer la evolución de la vida en la Tierra estudiando el lecho marino y los seres que lo habitan. Descienden al fondo del mar en unos submarinos denominados batiscafos, o lo exploran desde la superficie usando vehículos de control remoto. Para determinar la profundidad del mar se utiliza un aparato llamado sonar, que envía y registra ondas sonoras que rebotan en el fondo y vuelven a la superficie.

Este submarinista está recogiendo muestras de roca del lecho marino utilizando un vehículo submarino de control remoto.

*Cadenas tróficas, 100; dorsales oceánicas, 18; fosas oceánicas, 18

La vida en el mar

Los mares y los océanos contienen una enorme diversidad de especies animales y vegetales, desde la superficie hasta las fosas más profundas.

La tortuga boba vive en aguas cálidas y someras. Sale a la orilla a poner sus huevos.

En el mar, la principal fuente de alimento es el fitoplancton, un alga microscópica que se encuentra en enormes cantidades flotando cerca de la superficie y que fabrica su comida a partir de la luz solar, agua, gases y minerales. El fitoplancton es la base de la cadena trófica* de la fauna marina.

Arrecifes de coral

Los arrecifes de coral son estructuras submarinas espectaculares formadas por los esqueletos de unos animales diminutos llamados pólipos de coral. Al morir los pólipos más viejos, crecen otros nuevos sobre sus esqueletos, y el arrecife va creciendo con el paso de los años.

Los arrecifes de coral se encuentran en las aguas cálidas y someras de los trópicos, y albergan la mayor diversidad de flora y fauna del mundo marino.

Parte de un arrecife de coral en el mar Rojo, entre Egipto y Arabia Saudí

Zonas del océano

En el océano, a mayor profundidad, hace más frío y hay menos luz. Por tanto, existen menos seres vivos.

Zona fótica
Aquí viven muchas especies animales y vegetales.

Hasta 200 m

Zona de penumbra
Aquí viven muchos peces, como el pez espada.

Hasta 1.000 m

Zona afótica
Los animales se alimentan de lo que cae de arriba.

Hasta 4.000 m

Zona abisal
Las aguas son frías y oscuras. Hay pocos seres vivos.

Hasta 5.000 m

USO Y ABUSO

Desde hace miles de años, el mar nos proporciona alimento. Además, viajamos y transportamos mercancías a través de él. Sin embargo, a menudo se usa como vertedero de basura, lo que lo contamina y pone en peligro la fauna y la flora.

La pesca

La mayoría de capturas de peces se realizan con redes, como se ha hecho desde hace siglos. Existen tres tipos principales de red: las redes de cerco se lanzan sobre los bancos de arenques u otros peces que nadan cerca de la superficie; las redes de arrastre con puertas se arrastran por el lecho marino para capturar especies como el lenguado; por último, las redes de deriva tienen los agujeros del tamaño justo para que los peces se queden atascados y se dejan a la deriva, o bien cerca de la superficie, o bien sobre el lecho marino.

Los materiales modernos, más fuertes y ligeros, permiten que las redes sean más grandes que nunca. Los barcos pesqueros usan también el sonar* e incluso satélites* para localizar los bancos de peces.

La lubina es uno de los peces más consumidos en todo el mundo. Existen muchas especies, y éstas se pescaron en la bahía de Tokio, en Japón.

La sobrepesca

Debido a los avances de la tecnología, los barcos pesqueros pueden capturar más peces que nunca, y su número está descendiendo a gran velocidad. Se han aprobado leyes internacionales para restringir las zonas de pesca o caladeros, así como las especies y cantidades que se pueden capturar.

Un pesquero japonés faena con red en la bahía de Tokio, en Japón.

CB3-50869

*Satélites, 11; sonar, 134

La vuelta al mundo

Hace un siglo, si querías cruzar el océano, tenías que hacerlo en barco. La gente viajaba en transatlánticos enormes y los viajes podían durar meses.

Hoy en día, la mayoría de la gente utiliza el avión para las distancias grandes, pero para distancias menores se siguen usando embarcaciones como el ferry o el hidrofoil. Los únicos transatlánticos que quedan son los cruceros, que ofrecen travesías marinas largas y relajantes.

Los buques portacontenedores transportan toda clase de mercancías en enormes cajas metálicas. Hay grúas que descargan los contenedores y los cargan sobre camiones o trenes.

La marina mercante

Los buques mercantes transportan millones de productos distintos, desde petróleo y bananas hasta libros y ordenadores. Son más lentos que los aviones, pero pueden llevar cargas mayores y son mucho más baratos.

La contaminación marina

Los mares y los océanos son enormes, por tanto pueden absorber y descomponer gran parte de los residuos vertidos. Por ejemplo, la mayoría del agua de alcantarillado (procedente de desagües y cuartos de baño) va a parar al mar, donde se descompone de forma natural.

Sin embargo, hay residuos y basuras que no se descomponen tan rápido y contaminan el agua. Por ejemplo, el plástico tarda hasta 80 años en descomponerse. Los residuos químicos y radioactivos procedentes de fábricas, granjas y centrales nucleares* pueden acabar en el océano y envenenar a muchas especies.

A veces, los petroleros se hunden y vierten el crudo que transportan, matando plantas y animales como esta ave, o bien por envenenamiento o bien cubriéndolos de una capa de petróleo que apenas les deja respirar ni moverse.

*Energía nuclear, 25

Estalactitas y estalagmitas en la Cueva de los Vientos, en Colorado Springs, EE UU

INFORMACIÓN DE INTERÉS

GLOSARIO

Este glosario explica algunos de los términos que podrás encontrar cuando leas información sobre la Tierra. Las palabras en *cursiva* tienen su propia entrada.

activo: un volcán activo puede entrar en *erupción* en cualquier momento.

acuífero: capa de roca porosa que puede almacenar agua y transportarla bajo tierra.

adaptación: el modo en que una especie animal o vegetal se acostumbra con el tiempo a su *hábitat*.

afloramiento: saliente rocoso que asoma a la superficie del terreno que lo rodea.

afluente: río que desemboca en otro más grande en lugar de hacerlo en el mar.

agricultura ecológica: agricultura que se lleva a cabo sin la utilización de métodos y productos químicos artificiales. Los alimentos ecológicos siguen esta norma y no contienen productos químicos artificiales.

agua subterránea: agua que se ha filtrado por el suelo, almacenada en capas de roca *porosa*.

aguas termales: agua caliente procedente de un manantial cuya temperatura aumenta debido al calor de las rocas del subsuelo.

Anillo de Fuego: grupo de volcanes y *fallas* que forma un enorme anillo alrededor del océano Pacífico.

anticiclón: un área de *presión atmosférica* alta, que empuja los vientos hacia fuera. Su opuesto es la *borrasca*.

año bisiesto: cada cuatro años se añade un día al calendario, que pasa a tener 366 días. El día que se añade es el 29 de febrero.

año solar: tiempo que tarda la Tierra en completar una *órbita* alrededor del Sol. Tiene una duración de 365 días y 6 horas.

arrecife de coral: estructura formada por esqueletos de *pólipos de coral* acumulados gradualmente a medida que los más antiguos mueren y otros crecen sobre ellos.

asteroide: roca de pequeño tamaño que gira alrededor del Sol. A veces, los asteroides chocan contra la Tierra o contra otros planetas.

atmósfera: capa de gases de unos 400 km de espesor que rodea la Tierra.

átomo: partícula diminuta. Todos los *elementos* están formados por átomos.

aurora: luces parpadeantes que a veces aparecen en el cielo, cerca del polo norte (aurora boreal) o del polo sur (aurora austral). Su origen se debe a las partículas magnéticas del Sol.

bacterias: *organismos* diminutos que viven en el suelo, en el aire, en las plantas y los animales.

bajamar: nombre que recibe la *marea* baja.

barbecho: tierra de labranza que no se siembra durante una temporada o más para permitir que recupere sus nutrientes.

batiscafo: submarino utilizado por los científicos para explorar el lecho marino.

bioma: zona con un *clima* adecuado en general para ciertos tipos de plantas y animales. Por ejemplo, los desiertos, las montañas y los mares.

borrasca: área de *presión atmosférica* baja, también llamada ciclón, que atrae los vientos.

brújula: instrumento que contiene una aguja magnetizada que siempre señala al *polo norte*. Se usa para la orientación.

cadena trófica: secuencia que muestra las relaciones alimentarias de una determinada *especie*, o sea, de qué especies se alimenta y qué especies se alimentan de ella.

calentamiento global: aumento gradual de la temperatura de la Tierra, debido al *efecto invernadero*.

camuflaje: características físicas (como las rayas de los tigres) que ayudan a las especies a confundirse con su entorno y pasar desapercibidas.

capa de ozono: capa de un gas llamado *ozono* que hay en la atmósfera terrestre, a unos 20 y 50 km de altura, que protege la Tierra de los rayos solares. Los *clorofluorocarbonos* o *CFC* han provocado la aparición de un agujero en esta capa.

carnívoro: un animal o una planta que se alimenta de animales.

cartógrafo: persona que confecciona mapas o cartas geográficas.

chabola: cabaña construida con materiales residuales que a menudo construye la gente pobre en las afueras de las ciudades superpobladas.

chimenea hidrotermal: manantial de *aguas termales* situado en el lecho marino.

clima: condiciones meteorológicas típicas o medias de un lugar determinado. Por ejemplo, las selvas de Brasil tienen un clima muy húmedo.

clorofila: sustancia química verde que tienen las plantas y les permite convertir la luz solar en alimento.

clorofluorocarbonos o CFC: productos químicos que se consideran dañinos para la *capa de ozono* que hay en la *atmósfera* terrestre.

combustibles fósiles: combustibles como carbón, petróleo y gas, formados a partir de los cuerpos comprimidos de plantas y animales muertos hace mucho tiempo.

comunidad: grupo de plantas o animales que viven juntos en un *hábitat* determinado.

conservación: protección del *medio ambiente*, incluidos todos sus elementos, en un intento de reducir los daños causados por la *contaminación*.

contaminación: residuos o desechos, como el humo que expulsan los coches, que se acumulan sin que la *atmósfera* tenga tiempo para descomponerlos.

continente: cada una de las siete masas de tierra más grandes del planeta.

Coriolis, efecto: fenómeno relacionado con el *movimiento de rotación* de la Tierra, que hace que los vientos y las *corrientes* sean en espiral.

corrientes: sistemas globales de agua y aire que están en constante circulación alrededor de la Tierra. Por ejemplo, la corriente del Golfo es una corriente que traslada aguas cálidas del Caribe al norte de Europa a través del océano Atlántico.

corrimiento de tierras: caída repentina de una masa de tierra y rocas por la ladera de una montaña. Suelen ser provocadas por lluvias intensas o terremotos.

corteza: capa de roca sólida que recubre nuestro planeta. Consiste en una *corteza continental* que forma las zonas emergidas y una *corteza oceánica* que forma el lecho marino.

corteza continental: parte de la *corteza* terrestre que no está cubierta de agua. Está formada en su mayor parte por una roca llamada granito.

corteza oceánica: parte de la *corteza* terrestre que forma el lecho marino. Está formada en su mayor parte por una roca llamada basalto.

crevasse: grieta de un *glaciar*.

cultivable: se denomina tierra cultivable la tierra adecuada para la agricultura, es decir, para cultivar plantas.

deforestación: reducción o eliminación de los bosques por medio de la tala o quema de los árboles.

delta: sistema de canales en forma de abanico, creado cuando un río se ramifica y deposita residuos al desembocar en el mar.

deposición: acción de depositar rocas u otro tipo de materiales. Por ejemplo, cuando los *glaciares* se derriten, depositan materiales que forman las *morrenas*.

deriva continental: desplazamiento de los continentes sobre la superficie de la Tierra, que se debe al movimiento de las *placas tectónicas*.

descamación: pérdida gradual de la capa exterior de una roca, que se desprende en láminas como si fuera una cebolla. Se debe a cambios de temperatura, que hacen que la roca se dilate y se comprima.

desertización: proceso de degradación de la tierra hasta convertirse en un desierto.

desplazamiento: movimiento gradual de dos fragmentos de corteza terrestre en una *falla*.

dilatación: crecimiento o aumento del volumen de muchas sustancias, como la madera o la roca, que ocurre, por ejemplo, por acción del calor.

dique: barrera construida en la costa para evitar que el mar se desborde debido a la *marea* alta o *pleamar*.

dorsal oceánica: cordillera formada en el fondo del mar por la separación de las *placas tectónicas* de la *corteza* terrestre, que hace que el *magma* ascienda hasta el lecho marino.

drumlin: pequeña colina o loma alargada cuyo origen son las *morrenas* y otros materiales depositados por los *glaciares*.

ecosistema: sistema vivo que incluye un grupo de plantas, animales y el *hábitat* en el que viven.

ecuador: línea imaginaria que rodea la Tierra a la misma distancia entre el *polo norte* y el *polo sur*.

efecto invernadero: efecto que causan ciertos gases de la *atmósfera*, que acumulan el calor del Sol haciendo que la Tierra se recaliente.

eje: línea imaginaria que va del *polo norte* al *polo sur*, sobre la cual la Tierra realiza el *movimiento de rotación*.

El Niño: fenómeno meteorológico que hace que parte del océano Pacífico se vuelva más cálida de lo normal, lo que provoca tormentas muy fuertes.

elemento químico: sustancia constituida por un solo tipo de *átomo*. En la Tierra existen más de cien elementos, como el hierro y el oxígeno.

energía geotérmica: fuente de energía alternativa que aprovecha el calor natural de la Tierra para generar electricidad.

energía hidroeléctrica: energía eléctrica que se genera aprovechando la fuerza del agua.

energía nuclear: energía generada por la desintegración de los núcleos de los *átomos* de un elemento *radioactivo* llamado uranio.

erosión: conjunto de procesos geológicos externos que desgastan y destruyen la corteza terrestre. Los principales agentes erosivos son el viento, las aguas en movimiento (torrentes, ríos y mares) y los *glaciares*.

erráticos: piedras de gran tamaño que han sido arrastradas por un *glaciar* y *depositadas* lejos de su lugar de origen.

erupción: explosión volcánica. Cuando un volcán entra en erupción, expulsa *lava*, rocas, cenizas y gases incandescentes.

especie: grupo de plantas o animales que forman una categoría de clasificación y que pueden reproducirse entre sí.

espejismo: ilusión óptica, imagen de un objeto que no está donde parece, causada por la reflexión de la luz en la *atmósfera*.

estalactitas: carámbanos de piedra que cuelgan del techo de algunas cavernas. Se forman porque el agua que cae del techo *deposita* parte de los minerales que lleva disueltos.

estalagmitas: carámbanos de piedra que hay en el suelo de algunas cavernas. Se forman porque el agua que cae del techo *deposita* parte de los minerales que lleva disueltos.

estiércol: excrementos de animales que se usan como *fertilizante* o *abono*.

estomas: orificios diminutos que tienen las hojas, que permiten que entren y salgan gases y agua. Ver *transpiración*.

estratos: capas de roca.

estrella: esfera enorme de gases incandescentes situada en el espacio. El Sol, que es el centro de nuestro *sistema solar*, es una estrella.

estuario: parte de la desembocadura de un río en la que el agua dulce de éste se mezcla con el agua salada del mar.

evolución: desarrollo gradual, de generación en generación, que experimentan los seres vivos para adaptarse mejor a su *hábitat*.

extinguido: una *especie* extinguida es un tipo de planta o de animal que ha dejado de existir. Un volcán extinto es aquél que ya no está *activo* ni *inactivo*, y se piensa que no volverá a entrar en *erupción*.

falla: fractura de una roca debida a movimientos geológicos. Las más grandes e importantes coinciden con los bordes entre *placas tectónicas*.

farallón: roca alta y cortada que sobresale en el mar, frente a la costa.

fértil: una tierra fértil es buena para cultivar plantas. Fértil también significa ser capaz de reproducirse, o sea, de tener descendencia.

fertilizante o abono: sustancia que contiene *nitratos* y otras sustancias químicas que se echa en la tierra para hacerla más *fértil*. Por ejemplo, el *estiércol*.

fosa oceánica: fosa profunda situada en el lecho marino, que se forma en una *zona de subducción* cuando una *placa tectónica* se desliza por debajo de otra.

fosa tectónica: zona de la *corteza terrestre* deprimida por el hundimiento de un área situada entre dos *fallas*, cuando dos *placas tectónicas* se separan. También se llama *rift*.

fósiles: restos (o moldes) de plantas o animales que murieron hace tiempo, endurecidos y conservados en piedra.

fotosíntesis: proceso químico de las plantas, mediante el que convierten la luz solar en alimento.

galaxia: conjunto gigantesco de estrellas y planetas. En el universo existen millones de ellas.

garganta: valle profundo y estrecho, excavado poco a poco por la erosión de un río.

gases invernadero: gases, como el dióxido de carbono, que contribuyen al llamado *efecto invernadero*.

géiser: manantial de agua caliente y vapor que surge con gran fuerza debido al calor del interior de la Tierra.

gelivación: acción del agua que se introduce en las grietas de las rocas y al congelarse se dilata (aumenta de volumen), ensanchando la grieta poco a poco hasta romper la roca.

geoestacionario: en rotación sincrónica alrededor del planeta. Los *satélites* geoestacionarios giran alrededor de la Tierra a la misma velocidad con la que ésta gira sobre su propio eje (*movimiento de rotación*), por lo que siempre están en el mismo punto sobre la superficie terrestre.

geología: ciencia que estudia el origen y formación de las rocas y *minerales* que componen el planeta Tierra.

glaciación: periodo durante el cual la temperatura de la Tierra fue mucho más baja de la media. Desde el origen de nuestro planeta, ha habido varias glaciaciones.

glaciar: masa de hielo que se acumula en la cima de una montaña o en zonas de intenso frío hasta descender lentamente como si fuera un río.

grado: arco igual a 1/360 parte de una circunferencia. Los grados se usan para calcular distancias en la superficie terrestre como medida de *latitud* y *longitud*. Un grado equivale a 1/360 parte de la circunferencia de la Tierra.

gravedad: fuerza que atrae a la *atmósfera* y a los objetos que hay sobre la Tierra, evitando que floten en el espacio.

hábitat: lugar en el que vive una *especie* animal o vegetal.

hambruna: escasez generalizada de alimentos que puede provocar enfermedades y muertes por desnutrición.

hemisferios: cada una de las mitades del globo terráqueo al norte y al sur, tomando como centro el ecuador.

herbívoro: animal que se alimenta de plantas.

herradura, lago de: lago curvado que queda cuando un *meandro* de un río queda aislado del curso de éste.

hongo: tipo de *organismo* parecido a una planta pero sin hojas ni flores, como, por ejemplo, los champiñones.

horizonte A: capa más rica de la corteza terrestre. Contiene *mantillo* o *humus* y una gran variedad de *organismos* que hacen que sea *fértil*.

horizontes: capas o niveles que existen en el suelo. El horizonte es también la línea que separa la tierra del cielo cuando miras a lo lejos.

humedad: cantidad de agua que contiene el aire.

humus: ver *mantillo*.

iceberg: bloque enorme de hielo que se ha desprendido de un *glaciar* y ha caído al mar. Los icebergs van flotando a la deriva y suponen un grave peligro para la navegación.

ígnea, roca: roca que se forma cuando el *magma* escapa del interior de la tierra, se enfría y se endurece.

imán: objeto que posee un campo magnético o fuerza invisible que atrae el hierro y el acero. Los dos extremos de un imán se llaman polos.

impermeable: se denomina impermeable la roca que no permite que el agua la atraviese.

inactivo: volcán que no está *activo*, pero que un día podría volver a entrar en *erupción*.

incandescente: ardiente, que quema o arde.

infrarroja: emisión de energía que irradian las cosas calientes. Es invisible al ojo humano, pero puede detectarse mediante cámaras de infrarrojos.

interglacial: periodo de tiempo en el que, durante una *glaciación*, el clima se vuelve un poco más cálido por un tiempo.

isobaras: líneas que unen puntos con una misma *presión atmosférica*. Sobre un mapa meteorológico, sirven para indicar patrones de *presión atmosférica*.

latitud: medida en *grados* de la distancia de un punto hasta el e*cuador*, por el norte o por el sur.

lava: roca incandescente derretida que sale de los volcanes. A veces sale también por agujeros que hay en el suelo, llamados chimeneas.

líquen: especie de *organismo* vivo que crece en las rocas y está formado por un alga y un *hongo* que viven asociados.

llanura abisal: extensión enorme de lecho marino, situada a unos 4 km de profundidad, que forma la mayor parte del fondo oceánico.

lluvia ácida: lluvia que lleva disueltas sustancias químicas procedentes de aire contaminado, que hacen que el agua se vuelva ácida y pueda corroer las rocas y dañar las plantas.

longitud: medida en *grados* de la distancia de un punto hasta el *meridiano de Greenwich*, hacia el este o hacia el oeste.

luna: *satélite* natural que gira alrededor de un planeta. La Tierra tiene una luna que tarda un mes en completar un giro.

magma: roca incandescente derretida que hay en el interior de la Tierra.

manantial termal: ver *aguas termales*.

mantillo: parte del suelo que lo hace *fértil*. Está formado por plantas y animales en descomposición. También se llama *humus*.

manto: capa muy espesa de roca que se halla bajo la superficie terrestre. Parte de esta capa es sólida y otra parte es *magma* (roca derretida).

marea: movimiento diario de ascenso y descenso del nivel del mar, causado por la gravedad de la *Luna*.

meandro: curva pronunciada en el curso de un río. Se forman cuando los ríos fluyen lentamente por terrenos llanos.

medio ambiente: todo lo que nos rodea, incluidos el paisaje, los seres vivos y la *atmósfera*.

mediterráneo: tipo de clima con inviernos suaves y veranos calurosos, propicio para muchos tipos de cultivos. Se llama así porque se da en la región que rodea el mar Mediterráneo, aunque se da también en otras partes del mundo.

mena: roca que contiene metal que puede extraerse. Por ejemplo, el hierro suele extraerse de una mena llamada hematites.

meridiano de Greenwich: línea imaginaria que va del *polo norte* al *polo sur* pasando por Greenwich, Inglaterra, y que marca la línea de cero *grados* de *longitud*.

meridianos: líneas imaginarias que rodean la tierra de norte a sur y se utilizan para medir la *longitud*.

metamórficas, rocas: tipo de roca que ha sufrido un cambio por efecto del calor o de la presión. Por ejemplo, cuando una roca llamada esquisto sufre una presión fuerte, se endurece y forma otro tipo de roca metamórfica llamada pizarra.

meteorización: erosión de las rocas causada por elementos externos, que puede ser química o física.

meteorología: estudio del tiempo y la manera de pronosticarlo.

migración: movimiento de un lugar a otro. Muchos animales migran en cada estación para encontrar alimento.

minerales: sustancias inorgánicas que hay en la Tierra, como la sal, el hierro, el diamante o el cuarzo. La mayoría de las rocas están formadas por mezclas de minerales.

molécula: conjunto de átomos que constituyen la cantidad mínima de una sustancia que mantiene todas sus propiedades químicas.

montaña de plegamiento: cadena montañosa que se forma al plegarse la corteza terrestre debido a una colisión de las *placas tectónicas*.

monzones: vientos muy fuertes que provocan lluvias intensas en ciertas zonas de Asia.

morrenas: cantos rodados, barro y otros materiales que arrastra y *deposita* un *glaciar*.

movimiento de rotación: giro que realiza la Tierra sobre su propio *eje*, al tiempo que se desplaza en un *movimiento de traslación*.

movimiento de traslación: *órbita* o giro que realiza la Tierra alrededor del Sol.

navegable: se llama navegable al río por el que puede viajar un barco.

nicho: lugar que ocupa una *especie* animal o vegetal en un *ecosistema*.

nitratos: sustancias químicas que se encuentran en el suelo y ayudan a que las plantas crezcan.

nivel freático: nivel máximo de *agua subterránea* almacenada en rocas porosas en el *subsuelo*.

núcleo: parte central del interior de la Tierra que está compuesta principalmente por dos metales: hierro y níquel.

oasis: zona fértil de un desierto, cuya agua proviene de un *acuífero*.

oceanografía: ciencia que estudia los mares y los océanos.

omnívoro: animal que come tanto carne como plantas. La palabra viene del latín y significa "que come de todo".

órbita: trayectoria que sigue un objeto al girar alrededor de otro. Por ejemplo, la órbita de la Tierra alrededor del Sol, que tarda un año en completarse.

organismo: ser vivo, como puede ser una planta, un animal o una *bacteria*.

ozono: tipo de gas formado por moléculas de tres átomos de oxígeno, que se encuentra en la atmósfera y retiene los rayos ultravioleta.

paludismo: enfermedad, llamada también malaria, que afecta a millones de personas y se contagia a través de un tipo de mosquito.

Pangea: nombre con el que los científicos llaman a un supercontinente que comprendía todos los *continentes* unidos y fue fragmentándose hasta formar los que hoy conocemos.

paralelos: líneas imaginarias que cruzan el planeta de este a oeste, paralelas al *ecuador*. Se usan para medir la *latitud*.

permafrost: capa de hielo permanente que se encuentra en el *subsuelo* en las zonas del *Ártico*.

placas tectónicas: partes en las que se divide la *corteza* terrestre, que encajan como las piezas de un rompecabezas gigantesco.

planeta: bola enorme de roca que gira alrededor de una estrella trazando una *órbita*. Por ejemplo, la Tierra y Marte son planetas que giran alrededor del Sol.

plataforma continental: superficie submarina que rodea la mayor parte los *continentes*, haciendo que el mar sea mucho menos profundo cerca de éstos que en zonas más alejadas.

plataforma o barrera de hielo: capa de hielo de enorme tamaño que cubre una zona amplia, como el hielo que cubre el polo norte. Un casquete es un tipo de *glaciar* que avanza hacia los extremos en lugar de hacia abajo.

pleamar: nombre que recibe la *marea* alta.

pólipo de coral: un pequeño animal marino, característico de regiones tropicales, que vive en grandes grupos o colonias.

polo norte: punto más al norte de la Tierra, que es además uno de los extremos del *eje* alrededor del cual gira el *planeta*.

polo sur: punto más al sur de la Tierra, que es además uno de los extremos del *eje* alrededor del cual gira el *planeta*.

polos magnéticos: la Tierra se comporta como un *imán* gigantesco, y sus extremos se llaman polos magnéticos. Se mueven gradualmente a medida que pasa el tiempo, y no están exactamente en la misma posición que el *polo norte* y el *polo sur*.

poroso: que puede absorber agua. La roca porosa puede absorber el agua como una esponja y almacenarla bajo tierra.

precipitación: lluvia, nieve, granizo o cualquier otra manera en que el agua cae del cielo.

presión atmosférica: presión causada por el peso de la *atmósfera* sobre la Tierra. Depende de la temperatura del aire y la altura sobre el nivel del mar.

producción o cosecha: cantidad de alimento u otros productos que se obtiene de los cultivos en una parcela de terreno.

proyección: representación de la superficie de la Tierra sobre un mapa.

punto caliente: zona debilitada de la *corteza* terrestre en la que el *magma* puede abrirse paso y formar un volcán.

radar: dispositivo que detecta objetos enviando ondas especiales y recogiendo las señales que rebotan en ellos.

radiación: energía que irradia una fuente, que puede ser en forma de luz, calor o partículas *radioactivas*. Por ejemplo, el Sol irradia luz y calor.

radioactivo: las sustancias radioactivas, como el uranio, desprenden partículas que son perjudiciales.

red trófica: red de *cadenas tróficas* locales que muestra las relaciones alimenticias de las *especies* que integran un *ecosistema*.

roca madre: capa de roca sólida que hay bajo los distintos *estratos* u *horizontes* del suelo. Se encuentra por toda la superficie terrestre.

rotación de cultivos: cambio anual de la especie cultivada en una parcela para permitir la regeneración del suelo.

satélite: objeto que gira alrededor de un *planeta* trazando una *órbita*. Muchos se construyen para realizar una única tarea, como los satélites meteorológicos.

sedimentarias, rocas: rocas formadas por partículas de arena, barro y otros materiales que se han depositado sobre el lecho marino y forman rocas duras al ser aplastadas.

sedimentos: materiales resultantes de la *erosión* que transportan los ríos o el viento y que se depositan en el fondo oceánico o se acumulan en cuencas de sedimentación.

seísmo: ver *terremoto*.

selección natural: teoría que afirma que los organismos mejor adaptados a su medio son los que tienen más posibilidades de sobrevivir.

sismología: ciencia que estudia los terremotos y otros pequeños movimientos de la Tierra.

sistema solar: sistema que incluye el Sol, los *planetas* que giran a su alrededor, como la Tierra, y los *satélites* de éstos, como la *Luna*.

solfataras marinas: *chimeneas hidrotermales* que se encuentran en el fondo marino. Expulsan agua negra con distintos minerales disueltos, que con el tiempo se acumulan a su alrededor y forman una chimenea.

sonar: equipo que, mediante la emisión y recepción de ondas sonoras, permite la localización de objetos sumergidos. Se usa para rastrear el lecho marino.

subsuelo: capa de suelo que hay bajo la capa superior. Gracias a las rocas y grietas que hay en él, el agua consigue filtrarse a capas aún más profundas.

talud continental: pendiente pronunciada que se encuentra al borde de una *plataforma continental* y que llega hasta las profundidades marinas.

tectónica de placas: teoría que afirma que las *placas* que forman la *corteza* terrestre se mueven poco a poco y se rozan entre ellas.

teledetección: técnica de detección y observación realizada a distancia para recopilar información sobre la superficie de la Tierra y otros astros, como por ejemplo, la temperatura del mar. La teledetección suele realizarse por medio de satélites y sondas artificiales.

templado: tipo de *clima* suave y húmedo, ni demasiado frío ni demasiado cálido.

terrazas: escalones o rellanos amplios que se forman en las laderas de las colinas para que puedan conservar el agua necesaria para los cultivos y no se erosione el suelo.

terremoto: liberación brusca de tensión o energía acumulada en las rocas, que provoca movimientos en la superficie terrestre.

tillitas: sedimentos de origen glaciar, restos de antiguas morrenas formados por materiales de tamaños variados con los bloques típicamente estriados.

transpiración: proceso que tiene lugar en las plantas. El agua que absorben por medio de las raíces llega hasta las hojas y transpira, o se evapora, a través de los *estomas*.

trópicos: zonas cálidas y húmedas que hay a ambos lados del e*cuador*.

tsunami: ola gigante causada por un *seísmo* o la *erupción* de un volcán sobre el lecho marino, haciendo que el agua vibre. Comúnmente, se denomina maremoto.

tundra: región del Ártico desprovista de árboles y helada durante la mayor parte del año.

turbina: mecanismo que utiliza la fuerza de los giros de unas paletas (como las de una rueda hidráulica) para generar electricidad.

ultravioleta o UV: tipo de *radiación* luminosa invisible que proviene del Sol y puede causar daños en la piel.

valle colgante: valle menor que se encuentra a cierta altura y termina en un *valle glaciar*. Los valles colgantes son restos de *glaciares* menores que desembocaban en el *glaciar* principal. Al derretirse, dejaron un valle colgante en la ladera de la montaña.

valle glaciar: valle profundo en forma de U que un *glaciar* va excavando a su paso y que permanece cuando éste se derrite.

vulcanología: ciencia que estudia los volcanes.

zona de ablación: parte baja de un glaciar, donde el hielo se derrite y el agua llega a un río o al mar.

zona de acumulación: parte alta de un *glaciar*, donde cae la nieve y se hace compacta hasta formar hielo, que después empieza a descender lentamente.

zona de subducción: área del lecho marino en la que una placa se desliza por debajo de otra, formando una profunda *fosa oceánica*.

MAPAS Y LÍNEAS

La Tierra es una enorme esfera de roca que viaja por el espacio. No tiene "parte de arriba" ni "parte de abajo", y no tiene líneas marcadas. Todas las líneas que se explican a continuación, como el ecuador, el círculo polar ártico y la línea internacional de cambio de fecha, son imaginarias. Se usan para ayudarnos a medir distancias y encontrar lugares en los mapas.

El globo terráqueo es la única representación precisa de la forma de la Tierra. Este dibujo muestra los principales paralelos y meridianos.

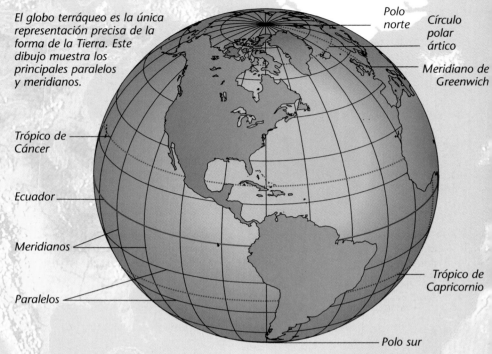

Polo norte
Círculo polar ártico
Meridiano de Greenwich
Trópico de Cáncer
Ecuador
Meridianos
Paralelos
Trópico de Capricornio
Polo sur

¿Qué significan las líneas?

• Los **paralelos** o **líneas de latitud** rodean el planeta dividiéndolo en rodajas planas. Se hacen más pequeños a medida que van acercándose a los polos, pero nunca llegan a cruzarse.

• El **ecuador** es el paralelo más largo e importante. Se encuentra a la misma distancia de los dos polos y divide la Tierra en dos mitades iguales, llamadas hemisferios. Es el punto de referencia para los demás paralelos.

• Los **meridianos** o **líneas de longitud** son líneas imaginarias verticales que van desde el polo norte hasta el polo sur. Dividen la Tierra en gajos, como los de una naranja y todos confluyen en ambos polos.

• El **meridiano de Greenwich**, o meridiano cero, es la línea de longitud más importante de todas y el punto de referencia para su medición. No obstante, no es más largo que el resto, porque todos miden lo mismo. En 1884 se decidió que esta línea de longitud, que pasa por Greenwich (en Londres, Inglaterra), sería el meridiano cero.

• Los **grados** (°) se usan para medir las distancias. Un grado equivale a 1/360 parte de la circunferencia del planeta. La latitud se mide en grados al norte y al sur del ecuador, y la longitud se mide en grados al este y al oeste del meridiano de Greenwich. Por ejemplo, un lugar que tenga unas coordenadas 50° S y 100° E tiene una latitud de 50 grados al sur del ecuador y una longitud de 100 grados al este del meridiano cero.

• Los **minutos** (´) y los **segundos** (") se usan para distancias más cortas y mediciones más precisas. Cada grado tiene 60 minutos y cada minuto 60 segundos.

• El **círculo polar ártico** es un paralelo situado a 66° 30´ al norte. Más al norte se encuentra la zona llamada **Ártico**, donde está el polo norte.

• El **círculo polar antártico** es un paralelo situado a 66° 30´ al sur. Más al sur se encuentra la zona llamada Antártico, donde está la Antártida y el polo sur.

• Los **trópicos** son dos paralelos situados cerca del ecuador. El **trópico de Cáncer** se encuentra a 23° 27´ al norte, y el de **Capricornio** a 23° 27´ al sur. La zona cálida y tormentosa que se encuentra entre estas dos líneas de latitud se llama zona tropical.

• La **línea internacional de cambio de fecha** está cerca del meridiano 180 (línea que se encuentra a 180° de longitud, justo al otro extremo del meridiano de Greenwich). Cruza el océano Pacífico y se arquea para evitar pasar por tierra firme. Forma parte del sistema utilizado para definir los husos horarios internacionales (ver página siguiente), porque la fecha cambia al cruzar esta línea.

Proyección de mapas

Un mapa plano no puede representar con exactitud la forma esférica del planeta. Por eso, ha de distorsionarse, estirarse o dividirse en partes. A continuación podrás ver algunos de los métodos utilizados, llamados proyecciones.

• Una **proyección cilíndrica** es parecida a la que obtendrías si envolvieras el globo terráqueo en una cartulina y lo iluminaras por dentro. Los perfiles de los países se proyectarían sobre el papel: los que están cerca del ecuador estarían bien representados, pero los que hay cerca de los polos estarían distorsionados.

Proyección cilíndrica

• En la **proyección de Robinson**, los meridianos se curvan hacia dentro en los polos, para que los países más al norte y más al sur no parezcan demasiado grandes. Las líneas curvas pueden crear confusiones, pero el mapa es bastante fiel a las proporciones reales.

Proyección de Robinson

• La **proyección de Peters** estira los países cercanos al ecuador, por lo que todos tienen el tamaño correcto en relación con los demás. Lo malo es que esa forma alargada no es la verdadera.

Proyección de Peters

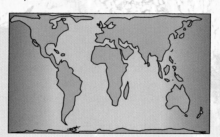

• La **proyección homolosena** separa el mapa del mundo en secciones. Hace que los países tengan el tamaño y la forma adecuados, pero no es muy útil para calcular distancias y rutas, sobre todo para los habitantes de los márgenes.

Proyección homolosena

• La **proyección de Mercator** es, probablemente, la más conocida. La creó Gerardus Mercator en 1538. Es similar a una proyección cilíndrica, pero se estira en los polos. Los países tienen la forma correcta, pero los más cercanos a los polos son demasiado grandes.

Proyección de Mercator

Husos horarios

Como el Sol sale y se oculta a diferentes horas en las distintas partes del globo, la Tierra está dividida en 24 husos horarios o franjas horarias. La gente de cada franja ajusta sus relojes según su horario particular. Cada zona abarca 15 grados de longitud, aunque esta medida es aproximada, ya que los países y estados suelen mantener la misma hora en todo su territorio. En algunos países, el horario de invierno y de verano es distinto. Este mapa muestra los distintos husos horarios. Las zonas se miden en horas a partir de la hora del meridiano de Greenwich.

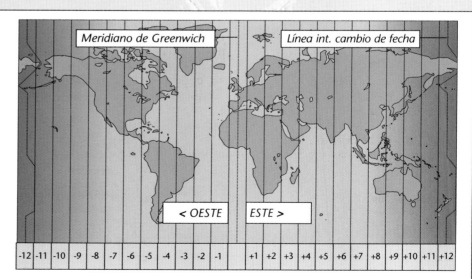

Este mapa muestra los 24 husos horarios. Las franjas que van adelantadas a la hora del meridiano cero se unen a las que van retrasadas en la línea internacional de cambio de fecha (el antimeridiano del meridiano de Greenwich). Al traspasar esta línea en dirección este, el reloj se atrasa 24 horas. Si se hace en dirección oeste, se adelanta 24 horas.

CIENCIAS Y CIENTÍFICOS

Hay muchos científicos encargados de estudiar los distintos aspectos de la Tierra. Las ciencias que estudian nuestro planeta suelen llamarse ciencias de la Tierra o geociencias. *Geo* significa "Tierra" en griego y aparece en los nombres de muchas de estas ciencias.

El cuadro que viene a continuación muestra algunas de estas ciencias y los científicos que las estudian, además de describir el área que cubre cada una. Algunas de las ciencias se solapan: por ejemplo, tanto los geólogos como los paleontólogos estudian los fósiles.

Ciencia	Científico	¿Qué es?
Geografía	Geógrafo	Estudio de los rasgos y procesos de la Tierra, sus climas, recursos y mapas. También estudia la relación de los seres humanos con el planeta.
Geología	Geólogo	Estudio de las rocas que componen la Tierra y su formación.
Paleontología	Paleontólogo	Estudio de los fósiles y los organismos que los formaron.
Mineralogía	Mineralogista	Estudio de los minerales.
Geofísica	Geofísico	Estudio de las fuerzas y los agentes que afectan la Tierra, como su campo magnético, su movimiento por el espacio y la gravedad.
Geoquímica	Geoquímico	Estudio de los minerales terrestres y su distribución natural, tanto en la superficie del planeta como en su interior.
Geomorfología	Geomorfólogo	Estudio del relieve (aspectos y formas) de la superficie terrestre, y los procesos que los causan.
Vulcanología	Vulcanólogo	Estudio de los volcanes.
Sismología	Sismólogo	Estudio de los terremotos y los temblores de tierra.
Oceanografía	Oceanógrafo	Estudio de los mares, los océanos y el lecho marino.
Sedimentología	Sedimentólogo	Estudio de los sedimentos (capas de roca, minerales, barro u otras sustancias que se han depositado en tierra o sobre el lecho marino).
Meteorología	Meteorólogo	Estudio del tiempo y de su predicción.
Climatología	Climatólogo	Estudio de los climas del pasado y del presente.
Ecología	Ecólogo	Estudio de la relación entre los seres vivos (incluidos los seres humanos) y su entorno, la Tierra.
Edafología	Edafólogo	Estudio del suelo. También se conoce como ciencias del suelo.
Cartografía	Cartógrafo	Ciencia que se encarga de diseñar y trazar mapas, además de recopilar la información necesaria para su confección.

La Tierra y la ciencia

A continuación figuran una serie de científicos famosos que han contribuido a que comprendamos mejor la Tierra y sus procesos.

Agricola, Georgius (1494-1555)
Científico alemán que estudió las rocas y los minerales científicamente en una época en que las teorías que intentaban explicar su composición se basaban en la superstición. Su libro *De re metallica* (1556) fue una guía para expertos en mineralogía y geología.

Al-Idrisi (1100-1165)
Geógrafo y escritor andalusí que exploró la región mediterránea, confeccionó un mapa del mundo y fue autor de un volumen, *El libro de Roger*, en el que narra sus viajes.

Aristóteles (384 a. C.-322 a. C.)
Científico y filósofo griego que estudió multitud de campos distintos. Fue el primero en afirmar que la Tierra era redonda, aunque tuvo que pasar mucho tiempo para que esta idea se aceptara (hasta el año 1500 de nuestra era, mucha gente seguía pensando que la Tierra era plana).

Darwin, Charles (1809-1882)
Científico inglés que desarrolló la teoría de la selección natural, que afirma que las especies de plantas y animales van cambiando, o evolucionando, con el paso del tiempo. Fue una teoría muy polémica, en parte porque sugería que la Tierra era más antigua de lo que mucha gente creía.

Davis, William Morris (1850-1934)
Geólogo y meteorólogo estadounidense que inició la geomorfología. Su teoría planteaba que los procesos erosivos formaban parte de un ciclo. Se hizo famoso por sus diagramas, que mostraban con gran detalle la formación del relieve de la corteza terrestre.

Demócrito (460 a. C.-370 a. C.)
Filósofo griego que fue el primero en afirmar que toda la materia estaba formada por partículas diminutas o átomos. También estudió los terremotos, los volcanes, el ciclo del agua y la erosión.

Enrique el Navegante (1349-1460)
Príncipe de Portugal, que organizó y financió numerosas expediciones para explorar África. Abrió una escuela para que los exploradores aprendieran el arte de la navegación (cómo orientarse) y cómo registrar sus descubrimientos.

Eratóstenes (276 a. C.-196 a. C.)
Científico y geógrafo griego que midió por primera vez la circunferencia de la Tierra, usando las estrellas como guía.

Flammarion, Camille (1842-1925)
Astrónomo francés que escribió e ilustró un libro muy conocido sobre el tiempo, llamado *L'Atmosphère* (*La atmósfera*, 1872), que se tradujo a muchos idiomas. En la página 85 puedes ver una ilustración de unas mangas de agua que realizó Flammarion y que está extraída de *L'Atmosphère*.

Gardner, Julia Anna (1882-1960)
Geóloga y paleontóloga estadounidense. Sus estudios sobre los fósiles fueron muy importantes porque ayudaron a comprender la naturaleza de las capas de rocas, llamadas estratos.

Gould, Stephen Jay (nacido en 1941)
Geólogo y paleontólogo estadounidense que ha trabajado las teorías de Charles Darwin. Es autor de un gran número de libros conocidos como *Vida maravillosa* (1989).

Humboldt, Alexander von (1769-1859)
Explorador alemán famoso por sus contribuciones a la geografía, meteorología y oceanografía. Exploró América del Sur y, en 1844, escribió una obra en cinco volúmenes llamada *Kosmos* (*El cosmos*), que describía la geografía y geología del mundo.

Hutton, James (1726-1797)
Científico escocés que estudió las rocas y los minerales. A menudo se le considera el "padre de la geología" y fue quien afirmó que la corteza terrestre cambiaba gradualmente debido a la erosión, las erupciones volcánicas y otros procesos.

Lyell, Charles (1797-1875)
Geólogo escocés que desarrolló las teorías de James Hutton. Fue amigo de Charles Darwin, y sus ideas ayudaron a éste último a desarrollar su teoría de la selección natural.

Schmitt, Harrison Hagan (nacido en 1935)
Geólogo y astronauta estadounidense que en 1972 participó en la misión Apolo XVII a la Luna. Se hizo famoso por su viaje de 22 horas en un vehículo lunar para recoger muestras de roca (el viaje más largo realizado por el hombre en la Luna).

Tolomeo, Claudio (100-170)
Geógrafo y astrónomo griego que planteó un primitivo sistema de coordenadas (latitud y longitud) y lo utilizó para confeccionar multitud de mapas.

Torricelli, Evangelista (1608-1647)
Matemático y físico italiano que estudió la presión atmosférica. En 1643, inventó el barómetro (un instrumento que mide la presión atmosférica).

Varenius, Bernhardus (1622-1650)
Geógrafo alemán que, en 1650, publicó un libro muy importante llamado *Geographia generalis* (*Geografía general*). Estudió también las islas de Japón.

Wegener, Alfred (1880-1930)
Meteorólogo alemán que afirmó que los cinco continentes estuvieron juntos formando un supercontinente llamado Pangea. Si bien las teorías de Wegener no se aceptaron en su época, en los años 60 ayudaron a los científicos a desarrollar la teoría de la tectónica de placas y el movimiento de los continentes o deriva continental.

RÉCORDS MUNDIALES

A continuación puedes ver cuáles son los ríos más largos, las montañas más altas y otros récords mundiales asombrosos. Sin embargo, el mundo cambia constantemente: las montañas se desgastan, los ríos cambian de forma y se construyen nuevos edificios. También puede cambiar el modo de medir las cosas, por eso puedes observar cifras distintas en diferentes libros.

Las montañas más altas	
Everest, frontera Nepal/China	8.848 m
K2, frontera Pakistán/China	8.611 m
Makalu, frontera Nepal/China	8.470 m
Dhaulagiri, Nepal	8.172 m
Nanga Parbat, Pakistán	8.126 m
Annapurna, Nepal	8.078 m
Rakaposhi, Pakistán	7.788 m
Kongur Shan, China	7.719 m
Tirich Mir, Pakistán	7.690 m
Gongga Shan, China	7.556 m

Los ríos más largos	
Nilo, África	6.671 km
Amazonas, América del Sur	6.440 km
Yangtsé, China	6.276 km
Misisipí, EE UU	6.019 km
Obi-Irtish, Asia	5.411 km
Yenisei/Angara, Rusia	4.989 km
Huang He, China	4.630 km
Amur/Shilka/Onon, Asia	4.416 km
Lena, Rusia	4.400 km
Congo, África	4.374 km

Los lagos más grandes	
Mar Caspio, Asia	370.999 km²
Lago Superior, EE UU/Canadá	82.414 km²
Lago Victoria, África	69 .215 km²
Lago Hurón, EE UU/Canadá	59.596 km²
Lago Michigan, EE UU	58.016 km²
Mar de Aral, Asia	41.000 km²
Lago Tanganika, África	32.764 km²
Lago Baikal, Rusia	31.500 km²
Gran Lago del Oso, Canadá	31.328 km²
Lago Malawi, África	29.928 km²

El océano más profundo	
La fosa de las Marianas, en el océano Pacífico, es el lugar más profundo del mar, y tiene 11.033 metros de profundidad.	

El lago más profundo	
El lago Baikal, en Siberia (Rusia) es el lago más profundo del mundo. Llega a alcanzar los 1.620 metros de profundidad.	

Las islas más grandes	
Groenlandia	2.175.600 km²
Nueva Guinea	789.950 km²
Borneo	751.100 km²
Madagascar	586.376 km²
Isla Baffin, Canadá	507.454 km²
Sumatra, Indonesia	424.760 km²
Honshu, Japón	227.920 km²
Gran Bretaña	218.896 km²
Isla Victoria, Canadá	217.290 km²
Isla Ellesmere, Canadá	196.236 km²

Los edificios más altos	
Taipei 101, Taiwan	509 m
Torres Petronas, Malasia	452 m
Torre Sears, EE UU	443 m
Edificio Jin Mao, China	420 m
Empire State, EE UU	381 m
Central Plaza, China	374 m
Banco de China, China	369 m
The Center, China	350 m
Torre T&C, Taiwan	347 m
Edificio Amoco, EE UU	346 m

Las ciudades y áreas urbanas más grandes	
Tokio-Yokohama, Japón	26,6 millones
Nueva York, EE UU	16,3 millones
São Paulo, Brasil	16,2 millones
Ciudad de México, México	15,6 millones
Shanghai, China	14,8 millones
Bombay, India	14,5 millones
Los Ángeles, EE UU	12,3 millones
Beijing, China	12,1 millones
Calcuta, la India	11,5 millones
Seúl, Corea del Sur	11,5 millones

Cataratas famosas	Altura
Catarata del Ángel, Venezuela	979 m
Cataratas de Sutherland, Nueva Zelanda	580 m
Mardalfossen, Noruega	517 m
Cataratas de Gersoppa, la India	253 m
Cataratas Victoria, Zimbabue/Zambia	108 m
Cataratas del Iguazú, Brasil/Argentina	82 m
Cataratas del Niágara, Canadá/EE UU	54 m

Catástrofes naturales

Las catástrofes naturales pueden medirse de distintas maneras. Por ejemplo, unos terremotos pueden alcanzar un grado mayor que otros en la escala de Richter y, sin embargo, tener menos poder destructivo. Los terremotos, las erupciones volcánicas, las inundaciones, los huracanes y los tornados que figuran a continuación son algunos de los desastres naturales más terribles de la historia.

Terremotos	Escala de Richter	Efectos catastróficos
Shansi, China, 1556	desconocida	830.000 personas muertas
Calcuta, la India, 1737	desconocida	300.000 víctimas mortales
San Francisco, EE UU, 1906	8,3	3.000 muertos por un incendio
Messina, Italia, 1908	7,5	Más de 70.000 muertos
Quetta, Pakistán, 1935	7,5	Casi 60.000 muertos
Alaska, EE UU, 1964	9,2	131 víctimas mortales
Tangshan, China, 1976	8,0	Más de 250.000 muertos
Ciudad de México, México, 1985	8,1	10.000 muertos, enormes daños
Irán, 1990	7,7	50.000 personas muertas
Kobe, Japón, 1995	7,7	5.500 muertos, enormes daños

Erupciones volcánicas	Efectos catastróficos
Vesubio, Italia, año 79 d.C.	Pompeya arrasada; 3.400 muertos
Tambora, Indonesia, 1815	92.000 personas mueren de hambre
Krakatoa, Indonesia, 1883	36.500 ahogados por un tsunami
Montagne Pelée, Martinica, 1902	Casi 30.000 personas enterradas en cenizas
Kelut, Indonesia, 1919	Más de 5.000 personas ahogadas por el barro
Agung, Indonesia, 1963	1.200 personas ahogadas por las cenizas ardientes
Santa Helena, EE UU, 1980	61 muertos y una amplia zona destruida
Ruiz, Colombia, 1985	25.000 muertos en una avalancha de barro
Monte Pinatubo, Chile, 1991	800 muertos bajo sus techos y por enfermedades
Isla de Montserrat, 1995	El volcán dejo la mayoría de la isla inhabitable

Inundaciones	Efectos catastróficos
Holanda, 1220	100.000 ahogados por inundación marina
Kaifeng, China, 1642	300.000 muertos al destruir los rebeldes un dique
Johnstown, EE UU, 1889	2.200 muertos por inundación causada por lluvias
Fréjus, Francia, 1959	412 muertos tras reventar la presa de Malpasset
Italia, 1963	La presa de Vaoint se desborda; casi 4.000 muertos
Este de Pakistán, 1970	Una ola gigante causada por un ciclón; 200.000 muertos
Bangladesh, 1988	Monzones; 1.300 muertos, 30 millones sin hogar
Sur de EE UU, 1993	El Misisipí se desborda; 12.000 millones de dólares en daños
China, 1998	El Yangtsé se desborda; 14 millones sin hogar
Papúa Nueva Guinea, 1998	3 tsunamis inundan Sepik; 2.000 muertos

Tormentas	Efectos catastróficos
"Gran Huracán" caribeño, 1780	El mayor huracán conocido; 20.000 muertos
Tifón de Hong Kong, China, 1906	10.000 muertos en este gigantesco huracán
Tornado asesino, EE UU, 1925	689 muertos en Ellington, Missouri
Tormenta Agnes, EE UU, 1972	129 muertos; 3.500 millones de dólares en daños
Huracán Fiji, Honduras, 1974	8.000 muertos y 100.000 sin hogar
Huracán Georges, EE UU, 1998	5.000 millones de dólares en daños; sur de EE UU
Huracán Mitch, Centroamérica, 1998	Más de 9.000 muertos por toda Centroamérica

Datos asombrosos sobre la Tierra

La Tierra tiene 12.103 km de diámetro. Su circunferencia (la longitud del ecuador) es de 38.022 km y está a 149.503.000 km de distancia del Sol.

Para completar una órbita alrededor del Sol, nuestro planeta viaja 938.900.000 km. Para poder hacerlo en tan sólo un año, tiene que ir muy rápido. A causa de la atmósfera que rodea la Tierra, no notamos cómo se mueve, pero en realidad vamos por el espacio a más velocidad que cualquier cohete.

- **Velocidad de traslación:** la Tierra gira alrededor del Sol a una velocidad aproximada de 106.000 km/h.

- **Velocidad de rotación:** la Tierra gira también sobre su propio eje, pero la velocidad la que te mueves depende del lugar en el que vives. Los lugares cercanos al ecuador se mueven a 1.600 km/h. La ciudad de Nueva York se mueve a unos 1.100 km/h. Cerca de los polos, la rotación no es muy rápida. Si quieres, puedes comprobarlo viendo lo que sucede cuando haces girar un globo terráqueo.

- **Velocidad del sistema solar:** el sistema solar al completo, incluidos el Sol, la Tierra y la Luna, junto a los demás planetas y sus respectivas lunas, viaja por la galaxia a 72.400 km/h.

- **Velocidad de la galaxia:** nuestra galaxia, la Vía Láctea, viaja por el universo a la increíble velocidad de 2.172.150 km/h.

MEDIDAS

La medida de las cosas (distancia, área, peso, volumen, tiempo y temperatura) es una de las partes más importantes de la ciencia. Existen dos sistemas principales de medida: el sistema métrico decimal y el imperial. A continuación podrás ver cómo funciona el sistema métrico decimal y su equivalencia en el sistema imperial.

Sistema métrico

El sistema métrico decimal está basado en el metro (del griego *metron*, medida). El metro es una unidad de medida que se usó por primera vez en Francia alrededor de 1790. En este sistema, las distintas unidades de medida son múltiplos de uno por 10, 100, 1.000, etcétera. Se trata del sistema más empleado en todo el mundo.

Longitud y distancia

10 milímetros (mm) = 1 centímetro (cm)
10 cm = 1 decímetro (dm)
100 cm = 1 metro (m)
100 m = 1 hectómetro (hm)
1.000 m = 1 kilómetro (km)

Área

100 milímetros cuadrados (mm≈) =
    1 centímetro cuadrado (cm≈)
10.000 cm≈ = 1 metro cuadrado (m≈)
10.000 m≈ = 1 hectárea (ha)
1.000.000 m≈ = 1 kilómetro cuadrado (km≈)

Peso

1.000 gramos (g) = 1 kilogramo (kg)
1.000 kg = 1 tonelada métrica (t)

Volumen y capacidad

1 centímetro cúbico (cc o cmΔ) = 1 mililitro (ml)
1.000 ml = 1 litro (l)
1.000 l = 1 metro cúbico (mΔ)

Temperatura

La unidad de temperatura del sistema métrico decimal es el grado (°) centígrado (C). El agua se congela a 0 °C y hierve a 100 °C.

Imperial

En Gran Bretaña y Estados Unidos, así como en otros países anglosajones (por ejemplo, Australia y Nueva Zelanda), se sigue usando el llamado sistema imperial, que tiene su origen en el siglo XII. Es algo complicado, porque no es un sistema decimal (basado en el número 10 y sus múltiplos). Algunas unidades tienen símbolos. Por ejemplo, el de la pulgada es ". Observa algunas equivalencias.

Longitud y distancia

1 pulgada = 2,54 cm
12 pulgadas = 1 pie = 30 cm
3 pies = 1 yarda = 0,90 m
1.760 yardas = 1 milla = 1,6 km
3 millas = 1 legua

Área

1 yarda cuadrada = 0,83 m≈
1 acre = 4.840 yardas cuadradas =
    4.000 m≈ = 0,40 hectáreas
640 acres = 1 milla cuadrada =
    2,58 km≈

Peso

1 onza (oz) = 28,35 gramos (g)
16 oz = 1 libra (lb) = 453 g
2,2 lb = 1 kg

Volumen y capacidad

1 pinta = 568 mililitros = 0,56 litros
1 galón = 4,54 litros

Temperatura

La unidad imperial de temperatura es el grado (°) Fahrenheit (F). El punto de congelación del agua es 32 °F; el de ebullición es 212 °F.

Tabla de conversión

Con esta tabla puedes hacer conversiones del sistema métrico decimal al imperial. Usa una calculadora para multiplicar.

Para convertir:	En:	Multiplica por:
centímetros	pulgadas	0,394
metros	yardas	1,094
kilómetros	millas	0,621
gramos	onzas	0,35
kilogramos	libras	2,205
cm≈	pulgadas cuadradas	0,155
m≈	yardas cuadradas	1,196
km≈	millas cuadradas	0,386
litros	pintas	1,76
pulgadas	centímetros	2,54
yardas	metros	0,914
millas	kilómetros	1,609
onzas	gramos	28,35
libras	kilogramos	0,454
pulgadas cuadradas	cm≈	6,452
yardas cuadradas	m≈	0,836
millas cuadradas	km≈	2,59
pintas	litros	0,568

DIRECCIONES ÚTILES

En esta página tienes una lista de organizaciones relacionadas con el planeta Tierra, de donde puedes obtener información muy útil para algún trabajo o proyecto. Si dispones de ordenador con acceso a Internet, también puedes buscar información en la red. A continuación te sugerimos algunos.

Organizaciones

Instituto Nacional de Meteorología
Camino de las Moreras s/n
28040 Madrid, España

WWF/Adena (España)
Santa Engracia, 6
28010 Madrid, España

Consejo Superior de Investigaciones Científicas (CSIC)
Administración Central:
c/ Serrano, 117
28006 Madrid, España

Sede central del Ministerio de Ciencia y Tecnología (MCYT)
Paseo de la Castellana, 160
28071 Madrid, España

Instituto Inter-Americano de Investigación sobre el Cambio Global (IAI)
Av. dos Astronautas, 1758
CEP 12227-010
São José dos Campos
São Paulo, Brasil

Organización de Estados Iberoamericanos (OEI)
Para la educación, la ciencia y la cultura
Secretaría general:
Bravo Murillo, 38
28015 Madrid, España

Centro de Coordinación para la Prevención de los Desastres Naturales en América Central (CEPREDENAC)
Secretaría Ejecutiva:
Apartado postal: 3133
Balboa, Ancón
República de Panamá

Sitios web

Astronomía
Astrored	www.astrored.org/
Orbit!	www.meganova.com/orbit/
La conquista del espacio	www.conquistadelespacio.net
Cielo Sur (Astronomía)	www.cielosur.com
Todo el sistema solar	www.todoelsistemasolar.com.ar/

Geología
Geodesia y geofísica	www.geo.ign.es
Centro de Investigaciones Geotécnicas	www.geotecnico.com
Geo Info	www.geocities.com/geo_info/
Instituto Geofísico del Perú	www.igp.gob.pe
Revista Geología en Línea	www.geologiaenlinea.com
Los glaciares	usuarios.tripod.es/antartica/glac_nociones.htm
Minerápolis	minerapolis.iespana.es/minerapolis/

La fuerza de la naturaleza
Volcanes de Ecuador	www.ecuadorciencia.com
Temporada de Huracanes	www.huracanes.8m.com
Terremotos	www.angelfire.com/nt/terremotos/
Todo sobre volcanes	www.geocities.com/CapeCanaveral/Lab/6093/Volcanes.htm

Meteorología
Instituto Nacional de Meteorología	www.inm.es/
Organización Meteorológica Mundial	www.wmo.ch

Ecología general
Jardín Latino	www.geocities.com/RainForest/4754/
Taller de naturaleza	www.geocities.com/RainForest/Vines/1940/natura.html
La web de la naturaleza	www.natuweb.com
Conservemos la fauna y flora	www.preserveplanet.org
El mundo animal	jefeiver3.tripod.com/ANIMALES/MUNDOANIMAL.htm
WWF/Adena	www.wwf.es
Instituto Nacional de Ecología (México)	www.ine.gob.mx/

Otros sitios interesantes
Agencia Espacial Europea	www.esrin.esa.it/
National Geographic	www.nationalgeographic.com
NASA	www.nasa.gov
Jóvenes científicos	www.fisicarecreativa.com/sitios_vinculos/ciencia/children.htm

ÍNDICE

Los números que aparecen en *cursiva* muestran dónde puedes encontrar imágenes.
Los términos que tienen varios números suelen tener uno en **negrita**, que indica dónde encontrar la explicación principal.

AGRADECIMIENTOS

Se han realizado todos los esfuerzos posibles con el fin de localizar a los titulares de los derechos de autor del material contenido en este volumen. En caso de omitirse algunos, los editores ofrecen la rectificación en las sucesivas ediciones previa notificación. Los editores desean agradecer a las siguientes organizaciones e individuos su colaboración y su permiso para reproducir material (a = arriba; c = centro; b = abajo; i = izquierda; d = derecha):

Portada: Telegraph Colour Library, **guardas** : CORBIS/Wolfgang Kaehler, **p. 1**: CORBIS/Yann Arthus-Bertrand, **p. 2**: CORBIS/Joseph Sohm, ChromoSohm Inc, **p. 4**: CORBIS/Ralph A. Clevenger, **p. 6**: © Digital Vision, **p. 8**: (i) © Digital Vision; (ad) Gary Bines; (bd) Jeremy Gower, **p. 9**: (ad) NASA; (bd) Gary Bines, **p. 10**: (ai y bd) © Map Creation Ltd; (bi) © Digital Vision; (bd) © Digital Vision, **p. 12**: (ad) © Digital Vision; (ci) CORBIS/Dave G. Houser; (cd) CORBIS/Galen Rowell; (b) Jeremy Gower, **p. 13**: (cd y bi) © Digital Vision; (bd) CORBIS/Bill Ross, **p. 14**: (bi) Jeremy Gower; (ad y bd) © Digital Vision, **p. 15**: (ai) Chris Lyon; (ad) Gary Bines; (b) Simon Fraser/Science Photo Library, **p. 16**: (foto principal) © Digital Vision; (inserción) Gary Bines, **p. 17**: (ai) Jeremy Gower; (cd) Andy Burton; (bi) Chris Lyon; (bd) Howard Allman, **p. 18**: (ad) Jeremy Gower; (cd) Guy Smith; (bd) Jeremy Gower, **p. 19**: (ad) Guy Smith; (cd) CORBIS/Yann Arthus-Bertrand; (bd) CORBIS/Galen Rowell, **p. 20**: (foto principal) G.S.F Picture Library; © Dr. B. Booth; (ci, c, ad y cd) Mike Freeman, **p. 21**: Mike Freeman, **p. 22**: (bi) CORBIS/Kevin Fleming; (ad) Jeremy Gower, **p. 23**: (i) Mike Freeman y Roberto de Gugliemo/Science Photo Library; (ad) Rosenfeld Images Ltd/Science Photo Library; (bd) CORBIS/Dorothy Burrows, Eye Ubiquitous; (b) © Digital Vision, **p. 25**: (ad) © Digital Vision; Laura Fearn, **p. 26**: CORBIS/Douglas Peebles, **p. 28**: G.S.F. Picture Library © Dr. B. Booth; (bi y cd) Jeremy Gower; (bd) Chris Shields, **p. 29**: (bd) Chris Shields, **p. 30**: (bi, ad, bd) Jeremy Gower; (ai) © Digital Vision, **p. 31**: (bi) © Digital Vision; (d) Julian Cotton Photo Library, **p. 32**: (foto principal) CORBIS/Michael T. Sedam; (ad) Jeremy Gower, **p. 33**: (ai) CORBIS/Ralph White; (bd) D. Drain/Still Pictures, **p. 34**: (foto principal) CORBIS/Amos Nachoum; (b) Jeremy Gower, **p. 35**: (ad) G.S.F. Picture Library © Solarfilm A; (b) CORBIS/Douglas Peebles, **p. 36**: (foto principal) G.S.F. Picture Library © Univ. California; (bi) CORBIS/Philip James Corwin, **p. 37**: (bd) Jeremy Gower, **p. 38**: (foto principal) © Vinay Parelkar/Dinodia, Oxford Scientific Films; (ad) CORBIS/Grant Smith, **p. 39**: (ai) foto por cortesía de Kinemetrics Inc; (d) Peter Bull, **p. 40**: (foto principal) CORBIS/Kevin Schafer; (ci, bi y bd) Jeremy Gower, **p. 41**: Jeremy Gower, **p. 42**: (a) Jeremy Gower; (b) CORBIS/Roger Ressmeyer, **p. 43**: (bi) Jane Burton; (d) CORBIS/Richard Cummins, **p. 44**: (ad) © Costas E. Synolakis; (bi) Jeremy Gower, **p. 45**: (ad) Jeremy Gower; (b) FOTO-UNEP/Still Pictures, **p. 46**: CORBIS/Scott T. Smith, **p. 48**: (foto principal) CORBIS/George Hall; (ai) © Digital Vision; (i) CORBIS/Jonathan Blair; (ci) NASA; (bi) © Digital Vision, **p. 49**: (ad) NASA/Science Photo Library, **p. 50**: (b) NASA/Science Photo Library, **p. 51**: (a) Los Álamos National Laboratory/Science Photo Library; (fondo y bi) La Tierra vista desde la lanzadera espacial: los océanos desde el espacio, recopilado por Pat Jones y Gordon Wells, cortesía de LPI, **p. 52**: (ad) Dr. Jeremy Burgess/Science Photo Library; (cd) Peter Bull; (bi) CORBIS/Karl Switak, ABPL, **p. 53**: (ai) Nick Cobbing/Still Pictures; (cd) CORBIS/Chinch Gryniewicz, Ecoscene ; (bi) Peter Bull, **p. 54**: (foto principal) CORBIS/Vince Streano; (ad) CORBIS/Ron Boardman, Frank Lane Picture Agency; (bi) © Digital Vision, **p. 55**: (a) CORBIS/Wolfgang Kaehler, **p. 56**: (ad) CORBIS/Dewitt Jones; (c) PLI/Science Photo Library, **p. 57**: (bi) CORBIS/Paul A. Souders; (bd) © Digital Vision, **p. 58**: (foto principal) CORBIS/Reinhard Eisele; (bi) Nicola Butler, **p. 59**: (ad) © Digital Vision ; (ci, cd y bi) Ian Jackson, **p. 60**: (foto principal) CORBIS/Buddy Mays; (ad) Nicola Butler, **p. 61**: (a) CORBIS/Buddy Mays; (cd) Ian Jackson; (bd) CORBIS/Anthony Bannister, ABPL, **p. 62**: (bi) CORBIS/Kit Kittle; (bi) Jeremy Gower, **p. 63**: (ad) Yann Layma/Tony Stone; (ad) David Scharf/Science Photo Library, **p. 64**: (foto principal) CORBIS/Christine Osborne; (ad) Nicola Butler; (c) CORBIS/Jeremy Horner, **p. 65**: (cd) Ian Jackson, **p. 66**: (ad) Nicola Butler; (bi) CORBIS/Gail Mooney, **p. 67**: (ad y b) Carlos Guarita/Still Pictures; (ci) Richard Passmore/Tony Stone, **p. 68**: (ai) Nicola Butler; (d) CORBIS/Stuart Westmoreland, **p. 69**: (ai) CORBIS/Ron Watts; (ad) CORBIS/Stuart Westmoreland; (bd) CORBIS/George MacCarthy, **p. 70**: (ai, ad, bi y bd) Ian Jackson, **p. 71**: (a) CORBIS/Dan Guravich; (b) CORBIS/Paul A. Souders, **p. 72**: (foto principal) CORBIS/Galen Rowell; (hd) CORBIS/David Muench, **p. 73**: (ad) CORBIS/William A. Bake; (bd) CORBIS/Catherine Karnow; (ci) Jeremy Gower; (bi) © Digital Vision; (ad) Arc Science Simulations/Science Photo Library, **p. 75**: (ad) Kevin Schafer/Still Pictures; (bi) © Digital Vision, **p. 76**: CORBIS/Steve Kaufman, **p. 78**: (fondo) CORBIS/Graig Aurness; (i) CORBIS/Michael Yamashita; (ad) Ian Jackson, **p. 79**: (h) © Digital Vision; (cg) Ian Jackson; (bd) CORBIS/Wolfgang Kaehler, **p. 80** : (hd) Scott Camazine/Science Photo Library; (bi) Peter Dennis , **p. 81**: (fondo, ai y ad) La Tierra vista desde la lanzadera espacial: las nubes vistas desde el espacio, recopilado por Pat Jones, cortesía de LPI; (ci) CORBIS/Wolfgang Kaehler; (bi) © Digital Vision; (bd) Ian Jackson, **p. 82**: (foto principal) Glen Allison/Tony Stone Images; (bi) La Tierra vista desde la lanzadera espacial: las nubes vistas desde el espacio, recopilado por Pat Jones, cortesía de LPI, **p. 83**: (ad) Werner Burger/Fortean Picture Library, **p. 84**: (foto principal) John Lund/Tony Stone Images; (ad) La Tierra vista desde la lanzadera espacial: las nubes vistas desde el espacio, recopilado por Pat Jones, cortesía de LPI; (b) Guy Smith, **p. 86**: (foto principal) CORBIS/Michael S. Yamashita; (ad)) La Tierra vista desde la lanzadera espacial: la geología desde el espacio, recopilado por Peter Francis y Pat Jones, cortesía de LPI, **p. 87**: (ad y ci) © Digital Vision, **p. 88**: (ad) Michael Sewell/Still Pictures; (bi) Robert H. Pearson, Canada, **p. 89**: (ad) Seymour Snowman Sun Protection Campaign, NSW Cancer Council y NSW Health Department, Sydney, Australia, 1997/1998 ; (bi) Will y Deni McIntyre/Tony Stone Images; (bd) CORBIS/Peter Turnley, **p. 90**: (foto principal) Pekka Parviainen/Science Photo Library; (ad) Magrath/Folsom/Science Photo Library; (b) © Digital Vision, **p. 91**: (ad) Llewellyn Publications/Fortean Picture Library; (c) CORBIS/Alamay y E. Vicens, **p. 92**: (foto principal y ad) © Digital Vision; (bi) Agencia Espacial Europea, **p. 93**: (ad) cortesía de International Weather Productions, **p. 94**: CORBIS/Michael y Patricia Fogden, **p. 96**: (ai, ad, bi) © Digital Vision; (bd) CORBIS/Ron Boardman, Frank Lane Picture Agency, **p. 97**: (ai) © Digital Vision; (d) CORBIS/Galen Rowell; (ai) Howard Allman, **p. 98**: (foto principal) CORBIS/Stuart Westmoreland; (ci) Ian Jackson; (bi y bd) Chris Shields, **p. 99**: (ad, cd y b) Ian Jackson; (bd) Jeremy Gower, **p. 100**: (ad) Ian Jackson; (ci) CORBIS/Tom Brakefield; (bd) David Wright, **p. 101**: (ai y d) © Digital Vision, **p. 102**: (foto principal y bi) © Digital Vision, **p. 103**: (ad) © Digital Vision; (ci) Michael Viard/Still Pictures; (bd) Ian Jackson, **p. 104**: (foto principal) CORBIS/Hans Georg Roth; (ad) CORBIS/Kit Kittle; (c) Laura Fearn, **p. 105**: (ai) Map Creation Ltd; (cd) CORBIS/Dean Conger, **p. 106**: (foto principal) CORBIS/Keren Su; (ad) Fiona Patchett y Laura Fearn; (ci) Ian Jackson, **p. 107**: (ai) CORBIS/W. Wayne Lockwood, M. D.; (cd) Ian Jackson, **p. 108**: (ad y bi) Ian Jackson; (bd) Rachel Lockwood, **p. 109**: (ai) CORBIS/Richard Hamilton Smith; (bi) Ian Jackson; (bd) © Digital Vision, **p. 110**: CORBIS/Ric Ergenbright, **p. 112**: (ad) CORBIS/Robert Pickett; (bi) CORBIS/Ken Wilson, Papilio, **p. 113**: (ai) Andrew Beckett; (ad) CORBIS/Michael Boys; (b) CORBIS/Rob Rowan, Progressive Image, **p. 114**: (ad) CORBIS/Richard Hamilton Smith; (b) CORBIS/Eric Crichton, **p. 115**: (ai) CORBIS/Dean Conger; (ad) Arquitectura y Artes Antiguas; (b) Alan Watson/Still Pictures, **p. 116**: (foto principal) CORBIS/John Farmer, Cordaiy Photo Library Ltd, **p. 117**: (ad) Jeremy Gower; (bd) CORBIS/Robert Holmes, **p. 118**: (foto principal) CORBIS/Layne Kennedy; (ad) Jeremy Gower, **p. 119**: (ai) CORBIS/Richard A. Cooke; (bd) CORBIS/Wolfgang Kaehler, **p. 120**: CORBIS/Lawson Wood, **p. 122**: (ad y bi) © Digital Vision; (bd) Ian Jackson, **p. 123**: (ai) La Tierra vista desde la lanzadera espacial: la geología desde el espacio, recopilado por Peter Francis y Pat Jones, cortesía de LPI ; (ad) Frans Lanting/Tony Stone Images; (b) © Digital Vision, **p. 124**: (foto principal) CORBIS/John y Dallas Heaton ; (ad) CORBIS/Digital Image © 1996 CORBIS; imagen original cortesía de la NASA ; (bi) CORBIS/David Muench, **p. 125**: (ai y bd) Jeremy Gower, **p. 126**: (ad) Mansell Collection/Visscher; (c) CORBIS/Charles y Josette Lenars, **p. 127**: (ai) CORBIS/Michael T. Sedam; (ad) CORBIS/Charles y Josette Lenars; (b) CORBIS/Philip James Corwin, **p. 128**: (a) Agua mineral natural Evian; (ad) Foto cortesía de The Strathmore Mineral Water Co; (bi) Jeremy Gower, **p. 129**: (ad) CORBIS/Richard Hamilton Smith ; (b) CORBIS/Macduff Everton, **p. 130**: (foto principal) CORBIS/Neil Rabinowitz; (bi) Chris Lyon, **p. 131**: (i) Jeremy Gower; (cd) CORBIS/Ralph A. Clevenger, **p. 132**: (fondo) © Digital Vision; (ci) Laura Fearn; (bi) Chris Lyon; (cd) Shaun Egan/Tony Stone Images, **p. 133**: (ad) CORBIS/Anthony Bannister, ABPL; (b) © Digital Vision, **p. 134**: (ai) CORBIS/Lawson Wood; (c) Dr. Ken McDonald/Science Photo Library; (b) CORBIS/Amos Nachoum, **p. 135**: (ai y b) © Digital Vision; (ad) Peter Dennis, **p. 136**: (foto principal, ad y ci) CORBIS/Michael S. Yamashita, **p. 137**: (ai) CORBIS/Charles O'Rear; (bd) © Digital Vision, **p. 138**: CORBIS/David Muench, **p. 140, 142, 144**: © Digital Vision, **p. 146**: (ad) Map Creation Ltd; (bi) Nicola Butler, **p. 147**: Nicola Butler, **p. 149**: Susannah Owen/Nicola Butler, **p. 150**: © Digital Vision, **p. 152 y p. 154**: © Digital Vision

Agradecemos a Susannah Owen su colaboración en el campo del diseño.